最新改訂版

千葉大学医学部附属病院が教える

毎日おいしい **コレステロール・中性脂肪** 対策レシピ **320**

監修　千葉大学大学院医学研究院教授・千葉大学医学部附属病院病院長　**横手幸太郎**

　　　千葉大学医学部附属病院臨床栄養部副部長兼栄養管理室長　**野本尚子**

料理　管理栄養士・料理研究家　**岩﨑啓子**

Gakken

はじめに

今こそ食事療法を始め、コレステロール値や中性脂肪値の改善に取り組みましょう

健康診断や人間ドックなどでコレステロール値や中性脂肪値が高いと診断されても、自覚症状がないために、そのままにしてしまう人が多いようです。

コレステロールも中性脂肪も血液中に含まれる脂質の一種で、本来悪者ではありません。ところが食生活や生活習慣の乱れなどから血中脂質のバランスがくずれると、このふたつの値が高くなってしまいます。そのままにしていると動脈硬化が進みやすく、血流が悪くなったり、血管が詰まりやすくなったりします。コレステロール値が高いほど、心筋梗塞を起こしやすくなるという研究結果もあるほどです。最悪の事態を防ぐために、今から食事療法を始めましょう。

本書では、当院で行っている食事療法のポイントや調理のコツなどを紹介しています。最近ではコンビニやスーパーですぐに使えるカット野菜や調理済み食品、缶詰などが多く売られています。患者さんからお問い合わせが多いこれらの食品を使っています。

たお手軽レシピや、コンビニ食品を組み合わせてできるメニューも併せて紹介しています。

コレステロール値や中性脂肪値を改善していくにあたり、適正な摂取エネルギー量と、脂質や糖質のバランスを守れば、食べてはいけないものはないのです。

血管を守り、健康で長生きするためにも、本書のレシピを活用してコレステロール値や中性脂肪値の改善に取り組みましょう。

千葉大学大学院医学研究院内分泌代謝・血液・老年内科学教授
千葉大学医学部附属病院病院長
横手幸太郎

千葉大学医学部附属病院臨床栄養部副部長兼栄養管理室長
野本尚子

野本尚子（のもとなおこ）
管理栄養士。病態栄養専門管理栄養士、NST専門療法士。1993年、千葉大学医学部附属病院栄養管理室に入職。1995年より糖尿病・高度肥満症栄養相談、糖尿病教室担当などを経て、現職。『100kcal食品・食事交換表肥満解消編―誰でもかんたん治療食』（同文書院）の編集協力など、幅広く活躍中。

横手幸太郎（よこてこうたろう）
医学博士。1963年生まれ。1988年千葉大学医学部卒業。専門は内科学。特に脂質異常症、糖尿病、高齢者の病気など。『コレステロール治療の常識と非常識』（共著・角川SSC新書）、『NHKきょうの健康 本気で動脈硬化予防！コレステロール対策』（NHK出版）など、著書・監修書多数。

千葉大学医学部附属病院

1874年創立。地域・社会医療へ貢献しながら、患者さんの意思を尊重した安心・安全な医療を提供し続けています。
所在地：千葉市中央区亥鼻1-8-1
https://www.ho.chiba-u.ac.jp/

> 簡単だから毎日作れる！
> おいしいから続けられる！

7つのポイント

コレステロールや中性脂肪の値が高いと診断されると、治療のひとつとして食事療法がスタートします。無理なく長く続けられるように、この本では7つのことに重点をおいています。

ポイント1
「今までどおりのおいしさ」を大切にしました

コレステロール値や中性脂肪値が高い場合の食事療法の第一歩は、食べる量や脂質、コレステロール、塩分を適量にすることから。この本では1日の適量がわかり、しっかりおいしく味つけできる工夫が盛りだくさん！しかも簡単に実践できます。

野菜やきのこでカサ増しし、炒める前に電子レンジで加熱すれば、少量の油しか使わなくても満足感のあるチンジャオロースーが作れます。

ポイント2
身近にある材料で簡単に塩分・カロリー・油脂量をコントロールできます

近所のスーパーで買える、いつもの食材や調味料で作れるレシピを紹介。この本のレシピを組み合わせるだけで、塩分は1食2.5g未満、1日8g未満に抑えられます。カロリーも1食600kcal前後、1日1800kcalが簡単にかないます。塩分、油分控えめのレシピですが、うまみや酸味、辛み、香り、コクなどをきかせているため、おいしく食べられます。

シチューは、牛乳から豆乳にかえたり、コンソメスープの素を少量使ったりすることでコクを出しつつ、塩分は控えめにしています。

ポイント3
魚のレシピが30点以上！
調理法に悩んでいた方も安心です

魚には、コレステロールや中性脂肪を抑える働きのあるDHAやEPAが多く含まれています。しかし魚の調理法や味つけのレパートリーが少なく、魚料理を食べる機会が減っているという声をよく聞きます。この本では魚のレシピを30点以上紹介しているので、悩むことなくすぐに作れます。

これまでと使う食材は同じでも調理法や味つけをかえるだけで、目新しい料理に！魚料理のレパートリーが増えます。

Part2では、定番料理を組み合わせた10の献立例を紹介しています。メニューの参考に。

ポイント 4
定番の献立例や食材別の索引でメニュー選びに迷いません

エネルギーや塩分、食物繊維、脂質の適正量を考えながら献立を作るのは大変！ そこで、この本のPart2では定番の主菜メニューに副菜や汁ものを組み合わせた献立例を紹介しています（→p.32〜）。また巻末には食材別索引も掲載しているので、冷蔵庫にある食材から献立を考えるときに役立ちます。

ポイント 5
カット野菜を使ったレシピやお湯を注ぐだけのレシピも！
料理が苦手な方でも安心です

コンビニやスーパーマーケットで売っているカット野菜やサラダチキン、缶詰を使ったお手軽レシピ、お湯を注ぐだけの簡単汁ものレシピも紹介しています。材料をそろえるだけでできるので、料理が苦手でもすぐに作れます。

（写真上）カット野菜とサラダチキンを合わせただけでサラダが完成。
（写真左）だしが出る食材を使えば、お湯を注ぐだけであっという間にスープもできあがり！

食べられないものはありません！ カレーもビーフシチューもちょっとの工夫で家族と同じものが食べられます。

ポイント 6
おやつも楽しめます！

おやつは週に数回、適量まで、などと決め、食べすぎないことが大切。家庭で簡単に作れて、1食128kcal以下のデザートレシピをそろえました。1日の摂取エネルギー目安の中で、調整しながら楽しんで。

ポイント 7
ひとりでも家族でもおいしく食べられます！

この本で紹介しているのは、ぶりの照り焼き、えびチリ、焼きぎょうざなどの定番をはじめ、誰もが好きな人気メニューが中心。材料の分量を守り、調味料を少し工夫するだけで、家族と同じメニューが食べられます。基本的に材料は1人分で紹介しているので、人数に合わせて作ってください。

和菓子から洋菓子まで、フルーツをたっぷり使ったもの、野菜を使ったものなどバリエーションに富んだスイーツばかり。

本書の見方&使い方

毎日の食事がこの1冊でおいしく簡単に作れます！

魚の脂に含まれるEPA（エイコサペンタエン酸）には、コレステロール値を下げる働きがあります。特に青背魚に多く含まれているので、積極的に食べましょう。

食材別にレシピを紹介
主菜は「魚介のおかず」「肉のおかず」「大豆のおかず」「卵のおかず」の4つに、副菜は「緑黄色野菜」「淡色野菜」「いも類」「海藻」「きのこ」「大豆製品・豆類」の6つに分け、食材カテゴリ別のページ構成になっています。

トマトとしょうゆの相性抜群！
さばのトマトしょうゆ煮

材料（1人分）
- さば……80g（1切れ）
- 塩……少々（0.5g）
- こしょう……少々
- トマト……100g（½個）
- ピーマン……30g（1個）
- 玉ねぎ……25g（⅛個）
- にんにく（薄切り）……1枚
- オリーブ油……小さじ1
- A 酒……小さじ2
- A 水……¼カップ
- A しょうゆ……小さじ1
- A ローリエ……¼枚

作り方 [調理時間20分]
1. さばは数か所に切れ目を入れて塩、こしょうをふる。
2. トマトとピーマンは乱切りに、玉ねぎは小さめの角切りに、にんにくはみじん切りにする。
3. 小さめのフライパンを中火で熱し、オリーブ油を入れて、にんにくと玉ねぎを炒める。にんにくの香りが出たら、1、トマト、ピーマン、Aを入れてふたをする。沸騰したら、弱火で7〜8分煮る。

エネルギー	食物繊維	コレステロール	脂質	塩分
254kcal	2.1g	49mg	14.3g	1.6g

調理時間の目安がすぐわかる
調理にかかる時間の目安を示しています。下ごしらえや調味液に漬ける時間、冷蔵室や冷凍室で冷やす時間などは含まれていません。

コレステロール値を下げるコツ
魚の煮汁まで残さずいただく
さばなど青背魚に多く含まれるEPAやDHAは、食品からとる必要のある不飽和脂肪酸のひとつで、コレステロール値や中性脂肪値を改善します。脂は煮汁にも流れ出るので、残さずいただきましょう。

材料は1人分で表示
材料の分量は基本的に1人分を表示しています。人数に合わせて分量を増やして調理ができるので、1人でも家族でも同じメニューを食べられます。調味料の分量は、必ず小数点以下まで計量できるデジタルキッチンスケールを使って量ってください。

減塩のコツやコレステロール値、中性脂肪値を下げるコツを紹介
塩分や油脂分を減らす食べ方、コレステロールや中性脂肪を下げるポイント、減量のコツなどがわかります。いずれも、ほかのレシピに応用が可能です。

作りおきできるものは、保存期間の目安を表示

作りおきが可能な副菜やデザートのレシピには、保存期間の目安を表示しています。

コレステロール・中性脂肪対策の食事療法に必要な4つの栄養成分とエネルギーを表示

1人分の「エネルギー」と「食物繊維」「コレステロール」「脂質」「塩分（食塩相当量）」の4つの栄養成分を示しています。コレステロール・中性脂肪対策の食事療法では、この5つをチェックするようにしましょう。目標量はp.23、p.30を参考にしてください。

エネルギー
内臓のまわりに脂肪がたまると中性脂肪値が高くなる傾向が。肥満を予防するためにも、自分にとって適正な摂取エネルギー量を守るようにしましょう。

食物繊維
コレステロールの吸収を抑えたり、食べすぎを防いだりしてくれる働きがあります。積極的にとるようにしましょう。

コレステロール
血液中に含まれる脂質のひとつであるコレステロール。悪者ではないのですが、LDLコレステロール値が高い人は摂取量を1日200mg未満にすると、コレステロール値が安定します。

脂質
体のエネルギー源のひとつ。消費されなかった分は脂肪として蓄えられますが、必要以上にカットする必要はありません。飽和脂肪酸と不飽和脂肪酸に大きく分けられ、魚やオリーブ油などに含まれる不飽和脂肪酸はコレステロール値や中性脂肪値を下げる作用があります。

塩分（食塩相当量）
塩分が高いとごはんが進み、炭水化物のとりすぎにつながります。すると摂取エネルギーが増えて肥満になりがちに。日頃から減塩をこころがけましょう。

インデックスつきでレシピが探しやすい

左ページ上には食材名のインデックスがついています。そのページでおもに使われている食材名が表示されているので、レシピが探しやすく、家にある材料から献立を考えるときなどに便利です。

主菜　魚介のおかず（さば）

スパイシーな香りとレモンの酸味でさっぱりと
さばのホイル焼き

材料（1人分）
- さば　80g（1切れ）
- 塩　小さじ1/6
- 玉ねぎ　30g（1/6個）
- しめじ　40g（1/4袋強）
- オリーブ油　小さじ1/4
- カレー粉　少々（0.3g）
- レモン（薄い輪切り）　1枚

作り方［調理時間20分］
1. さばは切れ目を入れ、塩をふる。玉ねぎはせん切りにし、しめじは小房に分ける。
2. アルミホイルの真ん中にオリーブ油を塗り、玉ねぎ、さばの順にのせ、カレー粉をふる。レモンをのせ、しめじを添えてしっかり包む。
3. オーブントースターで15分焼く。

エネルギー	食物繊維	コレステロール	脂質	塩分
198kcal	2.0g	49mg	11.3g	1.2g

ねぎみそ味がしっかりさばに入っている
さばのねぎみそ煮

材料（1人分）
- さば　80g（1切れ）
- 長ねぎ　30g（約1/3本）
- A｜酒　大さじ1
  ｜みそ　小さじ1 1/2
  ｜白すりごま　小さじ1
  ｜砂糖　小さじ1/3
  ｜水　1/2カップ強

作り方［調理時間20分］
1. さばは切れ目を入れて熱湯をかける。長ねぎはみじん切りにする。
2. 小さめのフライパンにAを入れて中火にかけ、混ぜながら煮立てる。
3. 2に長ねぎ、さばを入れてアルミホイルで落としぶたをする。沸騰したら弱火で10分くらい煮る。

エネルギー	食物繊維	コレステロール	脂質	塩分
234kcal	1.6g	49mg	12.3g	1.4g

57

本書の表記について

- この本の料理写真はすべて、1日に必要なエネルギーが1800kcalの人向けの1食分の量で撮影しています。
- 食材の量（にんじん1/2本など）はあくまで目安です。g表記を参照して、必ず計量してください。
- 計量の単位は基本、大さじ1＝15ml、小さじ1＝5ml、1カップ＝200mlです。調味料の分量の表記は小さじ1/6までとし、小さじ1/6以下の調味料は「少々」と表記しています。（）でg数が表記してあるものは、デジタルキッチンスケールで計量してください。g数を表記していないものは、親指と人指し指の2本でつまんだ量を「少々」の目安にしてください。「適宜」と表記してある材料は、なくてもかまいませんが、好みで適量を加えてください。
- 各レシピの火加減は、材料の量に適した大きさのフライパンや鍋に対してのものです。
- 電子レンジの加熱時間は600Wの場合です。500Wの場合は1.2倍、700Wの場合は0.8倍の時間を目安に加熱してください。
- 魚焼きグリルの火加減は、機種によって違いがあるので表示していません。レシピの加熱時間を目安に、焼き加減を確認しながら調理してください。
- 本書ではとくに表示がないかぎり、「だし」はかつおと昆布でとっただしを使っています。
- 栄養成分は「日本食品標準成分表2020年版（八訂）」をもとに算出し、小数点2位以下を四捨五入しています。
- 「塩分」は、「塩分相当量」を表示しています。ごはんの「食物繊維」は、「AOAC2011.25法」による数値を採用しています。

CONTENTS

Part 1 コレステロール・中性脂肪対策の基礎知識

- 2 はじめに
- 4 簡単だから毎日作れる！おいしいから続けられる！7つのポイント
- 6 本書の見方＆使い方
- 14 コレステロール＆中性脂肪のしくみ① コレステロール、中性脂肪ってどういうもの？
- 16 コレステロール＆中性脂肪のしくみ② 「脂質異常症」になるとどうなるの？
- 18 千葉大学医学部附属病院の 栄養指導6つのポイント
- 22 1日の献立の考え方 1日に食べる食品の種類＆量を3食に分ける
- 30 この本の料理を順番に選ぶだけで献立が完成！

Part 2 献立レシピ

- 32 **ぶりの鍋照り焼き定食**
  ぶりの鍋照り焼き／ブロッコリーの白和え／沢煮椀
- 34 **あじの塩焼き定食**
  あじの塩焼き／キャベツとアスパラのゆずこしょう炒め／スナップえんどうとミニトマトのごまみそ和え
- 36 **鶏のから揚げ定食**
  鶏のから揚げ／トマトともずくのしょうが酢和え／かぶとあさりの煮もの
- 38 **焼きぎょうざ定食**
  焼きぎょうざ／大豆もやしのエスニックサラダ／卵スープ
- 40 **肉野菜炒め定食**
  肉野菜炒め／きのこのおかか蒸し／きゅうりのレモンしょうゆ漬け
- 42 **麻婆豆腐定食**
  麻婆豆腐／チンゲン菜としらすの煮浸し／にんじんとレタスのナムル
- 44 **豆腐ハンバーグ定食**
  豆腐ハンバーグ／きゅうりとセロリのヨーグルトサラダ／ブロッコリーの煮浸し
- 46 **炒り豆腐定食**
  炒り豆腐／小松菜のレンジ蒸し／レタスとトマトのみそ汁
- 48 **ピザトーストセット**
  ピザトースト／かきたま野菜スープ
- 50 **スクランブルエッグセット**
  スクランブルエッグ／キャベツとセロリのベーコン蒸し
- 52 "うす味計画"でおいしく減塩

Part 3 主菜レシピ

- 54 ●主菜で使うメイン食材の選び方

魚介のおかず

- 56 さばのトマトしょうゆ煮
- 57 さばのホイル焼き／さばのねぎみそ煮
- 58 さばさば、長ねぎのゆずこしょう南蛮漬け／さばの梅照り焼き
- 59 かじきとズッキーニのガーリック炒め／かじきの韓国風焼き
- 60 ぶりとねぎの酢みそかけ
- 61 ぶりのおろし煮
- 62 さんまの塩焼き きのこおろし／さんまとごぼうの有馬煮
- 63 さんまのねぎ中華蒸し
- 64 かつおの中華風さしみ
- 65 さけのゆずこしょうみりん漬け／さけの梅みそホイル焼き
- 66 あじのさしみ ラビゴットソース／あじの酢じょうゆ煮
- 67 あじのアクアパッツァ
- 68 あじとじゃがいものハーブ焼き
- 69 さわらの煮つけ／さわらのソテー フレッシュトマトソースがけ
- 70 いわしのごまかば焼き／いわしのしょうが酢煮
- 71 いわしのトマトチーズ焼き
- 72 いわしとじゃがいものカレースープ煮
- 73 ほたてとチンゲン菜のあんかけ炒め／ほたてとカリフラワーのトマト煮
- 74 えびとキャベツのしそマヨ炒め／えびとセロリのチリソース炒め
- 75 えびとアスパラガスのクリーム煮

肉のおかず

- 76 ビーフシチュー
- 77 チンジャオロースー／牛肉とアスパラのこしょう炒め
- 78 豚ヒレソテー ハニーマスタードソース／豚肉のオクラ巻き
- 79 キャベツと豚肉の塩鍋／ホイコーロー
- 80 鶏むね肉と大根のフリカッセ
- 81 鶏肉のザーサイしょうゆ蒸し／鶏むね肉のレモンあんかけ炒め
- 82 タンドリーチキンサラダ
- 83 よだれ鶏風サラダ／ささみのたらこしそ蒸し
- 84 鶏もも肉の塩焼き 薬味だれがけ／鶏もも肉の焼き鳥風炒め
- 85 エスニックローストチキン
- 86 鶏もも肉と根菜の炒め煮
- 87 ミートボールポトフ
- 88 肉詰めピーマン
- 89 えのき肉団子 甘酢あんかけ／肉団子と白菜の春雨煮

大豆のおかず

- 90 豆とえびの豆乳シチュー
- 91 大豆と豚肉のピリ辛炒め／大豆のトマト煮
- 92 おから団子と野菜のトマト煮
- 93 まぐろ納豆／にらともやしの卵納豆炒め
- 94 焼きがんも／豆腐のオイスターソース煮
- 95 豆腐と春菊のあんかけ煮
- 96 トマトソースグラタン
- 97 豆腐チャンプルー／豆腐とたいのわかめ蒸し
- 98 豆腐とにんじんのじゃこ炒め／豆腐のゆずみそ煮
- 99 豆腐チゲ

Part 4 副菜レシピ

- 112 ●副菜に使う食材の選び方

緑黄色野菜

- 114 小松菜のしょうが浸し／小松菜のにんにく炒め
- 115 水菜とのりのナムル／春菊のおろしなめたけかけ
- 116 チンゲン菜とちくわのピリ辛煮／ほうれん草とコーンのごまみそ和え／ほうれん草とアボカドの粒マスタード和え

卵のおかず

- 100 高野豆腐のあんかけ煮
- 101 厚揚げとさやえんどうの玉とじ煮／厚揚げと小松菜のえびみそ炒め
- 102 がんもと豆苗のおかか煮／あぶ玉煮
- 103 油揚げの肉詰め焼き
- 104 なすとみょうがの卵とじ煮
- 105 マッシュルームオムレツ／もやしと卵の甘酢あんかけ
- 106 にんじんの卵炒め
- 107 巣ごもり卵焼き／青のり入りだし巻き卵

コラム たれ・ソース・ドレッシング
- 108 ごましょうゆだれ／お揚げしょうがしょうゆだれ／カレーヨーグルトだれ／三杯酢
- 109 ねぎおかかだれ／中華ドレッシング／おろし玉ねぎドレッシング
- 110 レンジきのこだれ／梅だしドレッシング／サルサソース／レモンみそドレッシング／バジルソース／イタリアンソース

- 117 アスパラのチーズ炒め／アスパラとわかめのからしみそ和え
- 118 にんじんとオレンジのサラダ／にんじんのしょうがごま和え
- 119 にんじんの山椒きんぴら／にんじんのソース炒め
- 120 にんじんとツナのふりかけ
- 121 ミニトマトのごま和え／トマトのおろし和え
- 122 トマトのしょうゆ炒め／ミニトマトのおだし煮
- 123 トマトのケチャップレモンサラダ
- 124 ブロッコリーのしそしょうゆ炒め／ブロッコリーのえび炒め
- 125 ブロッコリーと玉ねぎのサラダ／ブロッコリーの洋風白和え
- 126 ピーマンと油揚げの煮もの／ピーマンとしらすのにんにく炒め
- 127 ラタトゥイユ／パプリカの甘酢炒め
- 128 いんげんのザーサイ炒め／スナップえんどうのからしマヨ和え
- 129 かぼちゃとみょうがのサラダ／かぼちゃのカレーレモン煮

淡色野菜

- 128 ごぼうの土佐煮／たたきごぼうの南蛮漬け
- 129 大豆もやしの青のり炒め／大豆もやしのザーサイ和え
- 130 スライス玉ねぎとオクラのぽん酢かけ／玉ねぎの照り焼き
- 131 焼きれんこんの山椒塩かけ／れんこんのごまみそきんぴら

いも類

- 132 里いものとも和え／里いものねぎ塩煮
- 133 さつまいものはちみつレモン煮／さつまいものバターしょうゆ煮
- 134 せん切りじゃがいもの酢炒め／ポテトサラダ
- 135 しらたきとパプリカのしょうが酢和え／こんにゃくとごぼうのみそ煮

海藻

- 136 わかめと焼きねぎの七味みそ和え／わかめと香菜のエスニックサラダ

137 わかめとねぎのおろし和え／わかめとレタスの煮浸し／
138 わかめと三つ葉のおかか炒め
139 ひじきとピーマンのナムル／ひじきとれんこんのサラダ／
140 ひじきとしらたきの煮もの
141 ひじきとにんじんの山椒煮
142 糸寒天と水菜の納豆和え／糸寒天ときゅうりの中華和え／
143 切り昆布と切り干し大根のハリハリ漬け
144 切り昆布と油揚げの煮もの／もずくと貝割れの酢のもの

きのこ

141 えのきときゅうりのからし酢和え／しいたけのみそチーズ焼き
142 しめじのガーリックパン粉焼き
143 しめじと三つ葉のマヨしょうゆ和え／きのこサラダ
144 まいたけと小松菜のごまましょうゆ炒め
145 まいたけのだし漬け／まいたけのミルクスープ
146 きのこのホイル焼き／きのこのバルサミコ酢炒め
147 焼ききのこの梅わさび和え
148 エリンギとパプリカのケチャップ炒め／なめことほうれん草の煮浸し／きくらげとこんにゃくのおかかみそ炒め

大豆製品・豆類

146 納豆サラダ／おろし納豆
147 大豆とにらのナムル／大豆入りミネストローネ
148 大豆の梅おろし和え
149 炒りおから／焼き枝豆／焼き油揚げときゅうりの酢のもの
にんじんの白和え／アボカドやっこ／
豆腐とブロッコリーのうすくず汁

コラム 簡単レシピ35
●お手軽レシピ

150 さけ水煮缶とカットしめじのチーズ蒸し／さけ水煮缶とスライス玉ねぎのオーロラソースかけ／ツナ缶とミックスリーフのライスサラダ
151 さばとにらの七味しょうゆ煮／さば缶と香菜のエスニック和え
152 さばトマトライス／さば缶の貝割れ和え
153 サラダチキンのレモンサラダ／サラダチキンと大豆もやしのごま油蒸し／サラダチキンサンド／サラダチキンと水菜のぽん酢和え
154 野菜炒めミックスとひき肉の豆板醤炒め／野菜炒めミックスとツナ缶の鍋／野菜炒めミックスとさば缶のおかずみそ汁／野菜炒めミックスのナンプラー蒸し／せん切りキャベツとハムのマスタード蒸し／せん切りキャベツのおかかしょうゆ和え
155 焼き鳥親子丼／焼き鳥缶のねぎ和え

●即席スープ

155 トマトスープ／ほうれん草とねぎのすまし汁／コーンスープ
156 えのきと豆苗のすまし汁
156 小松菜と切り干し大根のみそ汁／キャベツとにらのごまみそ汁／もやしとしいたけの中華スープ
157 きゅうりとザーサイの中華スープ／ミニトマトとスプラウトのコンソメスープ／サラダ菜とコーンのカレーコンソメ
158 とろろ昆布とたたき長いものすまし汁／オクラとのりのすまし汁／カットわかめと水菜のみそ汁／レタスとさくらえびのみそ汁／刻みねぎと貝割れのみそ汁／麩とみょうがのみそ汁

コラム

159 千葉大学医学部附属病院監修
コンビニ食品の上手な活用のしかた

Part 5 主食レシピ

162 ●主食で糖質&脂質を抑えるコツ

ごはん
- 164 牛丼
- 165 レタスチャーハン／鶏肉とかぶの中華がゆ
- 166 中華丼／ビビンパ
- 167 スープカレー
- 168 炒り卵のせオムライス
- 169 アボカドトマトリゾット／鉄火丼

パン
- 170 バーベキューポークサンド
- 171 えびチーズサンド／ねぎしらすトースト
- 172 チキン野菜サンド
- 173 かぼちゃサンド／フレンチトースト

麺
- 174 なす入りミートソーススパゲティ
- 175 きのこと鶏肉の和風スパゲティ
- 176 マカロニグラタン
- 177 ナポリタン
- 178 カレーうどん／ごまだれ和えそば
- 179 フォー風そうめん／トマトそうめん
- 塩焼きそば

コラム 外食&手作り弁当
外食は塩分控えめの和定食を。弁当は「半分以上が野菜&くだもの」に
- 180 牛肉のエリンギ巻き弁当
- 182 鶏肉と切り干し大根の中華炒め煮弁当
- 184 豚ヒレとごぼうの中華炒め弁当
- 186 さばのヨーグルトみそ漬け弁当
- 188 サーモンオムレツ弁当
- 190

Part 6 おやつレシピ

192 ●おやつを食べるときのポイント
- 194 マンゴープリン／グレープフルーツゼリー
- 195 パイナップルコンポート／レアチーズケーキ
- 196 キウイシャーベット／キウイ寒天
- 197 りんごの赤ワイン煮／いちごのクラフティー
- 198 フルーツくず流し／豆腐白玉 みたらしだれかけ
- 199 しょうがプリン／かぼちゃプリン
- 200 紅茶ビスコッティー／おから抹茶蒸しパン
- 201 ごま水ようかん／焼き大学いも

207 食材別索引

Part 1

正しい知識が体を守る！
コレステロール・中性脂肪対策の基礎知識

まずは、「コレステロール」や「中性脂肪」がどんなものなのか知ること。
これが治療の第一歩です。千葉大学医学部附属病院で
実際に患者さんに指導している内容と、脂質異常症の基本的な情報を紹介します。

【INDEX】
- コレステロール＆中性脂肪のしくみ…p.14〜17
- 千葉大学医学部附属病院の
  栄養指導6つのポイント…p.18〜21
- 1日の献立の考え方…p.22〜29
- この本の料理を順番に選ぶだけで献立が完成！…p.30

コレステロール&中性脂肪のしくみ①

コレステロール、中性脂肪ってどういうもの？

コレステロールと中性脂肪をコントロールするには、その役割と体内でのしくみを理解することから始めましょう。

コレステロールは全身をめぐっていく

7割
肝臓で合成される
体内にあるコレステロールの7割は、ほとんどが肝臓で合成されている。食べ物からとる量よりも体内で作られる量のほうが圧倒的に多い。

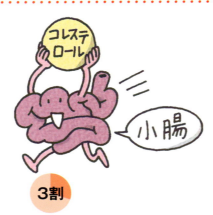

3割
小腸で食べ物や胆汁から吸収される
食事でとったコレステロールは、胆汁によって消化されたのち小腸で吸収され、肝臓へと運ばれる。

LDLが全身にコレステロールを運ぶ
小腸から肝臓に運ばれたり、肝臓内で合成されたりしたコレステロールは血液に溶け込んで全身に運ばれる。運搬の際には、LDLというたんぱく質と結合することからLDLコレステロールと呼ばれる。

コレステロールは細胞膜やホルモンの材料として使われる

健康診断や人間ドックなどでコレステロールや中性脂肪の数値が高いと、食事や生活習慣に注意するように指導されます。そのため、コレステロールも中性脂肪もひどい悪者だと思われがちです。しかし、本来これらは体内で重要な役割を担っており、不足してもいけません。

そもそもコレステロールとは脂質の一種。脂質ならやっぱり悪者じゃないかと思うかもしれませんが、そうではありません。コレステロールは細胞膜を構成するのに不可欠な成分で、不足すれば体の基礎となる細胞そのものがもろくなります。ほかに、副腎皮質ホルモンや性ホルモンの材料としても欠かせません。また消化液に含まれる胆汁酸の材料でもあり、体

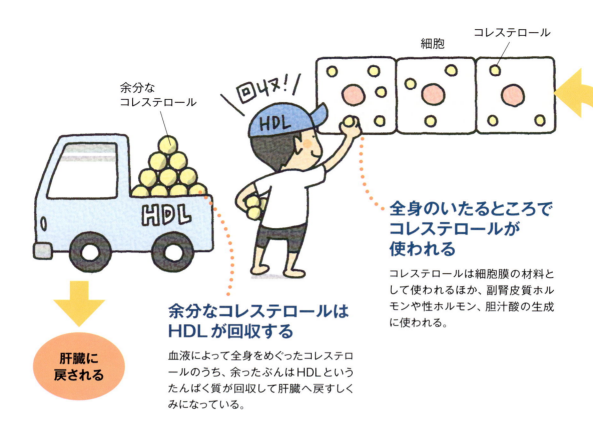

全身のいたるところでコレステロールが使われる

コレステロールは細胞膜の材料として使われるほか、副腎皮質ホルモンや性ホルモン、胆汁酸の生成に使われる。

余分なコレステロールはHDLが回収する

血液によって全身をめぐったコレステロールのうち、余ったぶんはHDLというたんぱく質が回収して肝臓へ戻すしくみになっている。

LDLもHDLも"リポたんぱく"の一種

コレステロールや中性脂肪は脂質なので、そのままでは水性の血液に溶け込むことができません。これらと結合し、血液中に溶け込ませる手助けをしているのが「リポたんぱく」。LDLやHDL、VLDLやカイロミクロンといった種類があり、LDLはコレステロールを肝臓から全身へ運びます。VLDLやカイロミクロンは中性脂肪を、HDLは余分なコレステロールを回収して肝臓に戻す係です。こうした役割のため、LDLは悪玉、HDLは善玉などと呼ばれます。

内でのビタミンDの合成にも必要です。つまり、コレステロールは減らせばよい、という単純なものではないのです。

コレステロールは血液に溶け込んで全身をめぐっていますが、それを手助けしているのが、LDLやHDLというリポたんぱくです。その働きの違いによって、LDLコレステロールやHDLコレステロールなどと呼び分けられています。

中性脂肪は体のエネルギー源として蓄えられる

中性脂肪も脂質の一種で、VLDLやカイロミクロンというリポたんぱくによって運ばれ、主に体を動かすためのエネルギー源であること。食事でとった脂質や糖質、たんぱく質などが小腸や肝臓で代謝され、脂肪として蓄えられます。

主な貯蔵場所は皮下やお腹まわりで、それぞれ皮下脂肪や内臓脂肪になり、食べすぎや運動不足によって過剰に蓄えられると、肥満の原因になります。

15

コレステロール&中性脂肪のしくみ②

「脂質異常症」になるとどうなるの?

脂質異常症は動脈硬化を促す重大な危険因子のひとつ。血管を詰まらせる病気に注意が必要になります。

LDL、HDL、中性脂肪のバランスがくずれる

空腹時に採血したときの数値が

LDLコレステロール	**140** mg/dL 以上
HDLコレステロール	**40** mg/dL 未満
中性脂肪	**150** mg/dL 以上

上記のうちいずれかひとつでも当てはまる状態が

脂質異常症

! 中性脂肪が400mg/dL以上の人や、食後に採血をした場合に

Non-HDLコレステロール	**170** mg/dL 以上

に当てはまる場合も診断される

脂質異常症の診断は、空腹時の血液検査で調べる（診断基準は上表を参照）が、Non-HDLコレステロールに当てはまる場合も診断される。これは"HDLではないコレステロール"のことで、総コレステロール値からHDLコレステロール値を引いた値。ちなみに、最新の『動脈硬化性疾患予防ガイドライン2022』では、随時採血の基準値が設けられ、その場合には中性脂肪値が175mg/dL以上の場合も脂質異常症と診断される。

体の中では……

- **LDLが高いと**血液中に余分なコレステロールが増える
- **HDLが低いと**余分なコレステロールが回収できない
- **中性脂肪が高いと**LDLが小型化＆HDLが減る

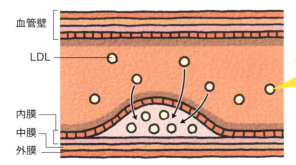

LDLコレステロールが血管壁の中に入り込む

LDLはコレステロールを多く含んでいる。これが血管壁に入り込み、血管が詰まる原因を作る。

16

血管を詰まらせ、重い病気を招く

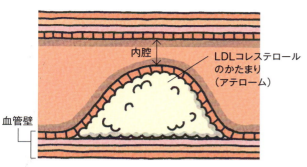

脂質異常症を放置すると…

血管の内腔が狭くなり、動脈硬化が進む

血液中に余分なLDLコレステロールが増えすぎると血管内膜を傷つけ、血管壁にLDLコレステロールが侵入し、酸化する。酸化したLDLコレステロールを排除するために免疫細胞のマクロファージが取り込むが、その役目を終えたマクロファージが血管壁に蓄積し、アテロームとなって盛り上がる。すると血管内腔が狭くなってしまう。

アテロームが破れて血栓ができ、血管が詰まる

アテロームがたまるにつれ、血管壁がふくらんで血管内腔が狭くなり、血流が悪くなる。アテロームが破裂すると、その傷を修復するために血栓ができる。この血栓によって完全に血管が詰まることがある。

全身のどこの血管が詰まるかによってさまざまな病気が起こる

慢性腎臓病
腎臓は無数の細い血管のかたまりのような臓器で、全身の血液を濾過する働きを担っている。動脈硬化が進むと血流が低下し、それに伴い腎機能が悪化し、慢性腎臓病を引き起こす。

狭心症・心筋梗塞
心臓に酸素や栄養を供給している冠動脈で動脈硬化が進むと、狭心症の原因に。また、血栓によって完全に冠動脈が詰まると心筋梗塞を起こし、場合によっては命に関わる。

脳梗塞（こうそく）
脳血管の動脈硬化が進み、血流が悪化し、血栓が詰まって血流が途絶えると起こる。脳のどの部位で梗塞が起こったかによって症状が異なり、さらに後遺症として半身の麻痺や言語障害、視覚障害などが残ることがある。

など

血管が動脈硬化を起こし、詰まりやすくなる

脂質異常症とは、血液中に含まれるLDLコレステロールや中性脂肪が増えすぎたり、HDLコレステロールが減りすぎたりしてバランスを崩した状態のこと。診断には空腹時に血液検査を行い、それぞれの血液中の量を調べます（診断基準は右ページ参照）。

脂質異常症が問題なのは、それによって動脈硬化を悪化させてしまうことです。しかも自覚症状がないため、自分でも気づかないうちに動脈硬化が進行し、あるとき突然、脳梗塞や心筋梗塞といった重大な病気を引き起こす危険が非常に高くなります。実際、LDLコレステロール値が高いほど、狭心症や心筋梗塞を起こすリスクが高いというデータもあります。

脂質異常症の主な原因は食事などの生活習慣の乱れです。特に、「肉・乳製品のとりすぎ」、「運動不足」、「肥満」の3つが重大な危険因子となるため、生活全般を見直す必要があります。

千葉大学医学部附属病院の 栄養指導6つのポイント

食事療法は一人ひとりの病態に応じて指導していきます。6つのポイントをおさえておきましょう。

Point 1 動脈硬化の進行を防ぐため改善ポイントを探す

- LDLコレステロールはどのくらい？
- 肥満はあるか？
- 血圧や血糖値は正常か？
- 中性脂肪も高いのか？
- 脳梗塞などを起こしたことは？
- 合併している病気はあるか？

一人ひとりに合わせて食事療法をカスタマイズする

LDLコレステロールが高い	中性脂肪や血糖値も高い	BMIが25以上など肥満がある
脂質のとり方を適正化	**糖質のとりすぎ**を適正化	**減量の必要性**あり
特にLDLコレステロールが高い高コレステロール血症の人は、脂質の摂取量や脂質の種類を見直すことが必須。脂質の具体的な量と選び方の栄養指導を行う。	中性脂肪は脂質だけでなく、糖質のとりすぎも影響する。高中性脂肪血症に加えて血糖値も高い人は、糖質の摂取量やとり方を適正化すると効果的である。	肥満で内臓脂肪が多い人は、特に中性脂肪が高くなりやすい。減量は中性脂肪を下げるのに有効である。そのため、体重の3％減を目標に栄養指導を行う。

患者さんの病態に合わせて栄養指導を行う

脂質異常症のある人は、家族性高コレステロール血症のような特殊な場合を除いて、高血圧や糖尿病（または高血糖）、メタボリックシンドローム、腎機能低下や慢性腎臓病など、さまざまな病態を合併していることが多いものです。

ただ、いずれの病態の場合でも「動脈硬化の進行を抑える」という共通の目的がベースにあるため（上図参照）、これをふまえたうえで患者さん一人ひとりに適した栄養指導を行っていきます。

そのうえで、肥満がある人には減量することでどんな効果があるか、高血圧を合併している人なら減塩でどんなメリットがあるのかといったことを説明し、食事療法に対する理解を深めてもらいます。

Point 2　"1日にとっていいエネルギー量"から"1食で何をどれだけ食べるか"を導き出す

1　自分の身長に見合った"標準体重"を計算する

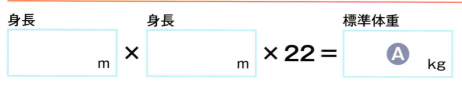

標準体重を算出するには、BMI（ボディ・マス・インデックス）の体格指数を用いる。最も病気が少ないとされる「22」で、自分の標準体重を計算する。身長が180cmの場合は、1.8×1.8×22＝71.28で約71kgとなる。

2　ふだんの活動量から1日に必要なエネルギー量をチェック

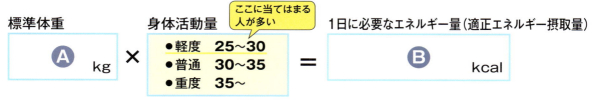

職業や日常生活の習慣で、どの程度体を動かしているかによって適正なエネルギー摂取量を計算する。肉体労働でなければ、「軽度」に当てはまる人が多い。

3　Ⓑを3等分して、1食でとっていいエネルギー量をチェック

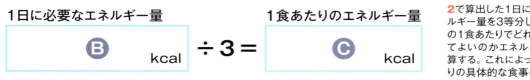

2で算出した1日に必要なエネルギー量を3等分し、朝・昼・晩の1食あたりでどれくらい食べてよいのかエネルギー量を計算する。これによって1食あたりの具体的な食事の量がわかりやすくなる。

➡ **Ⓒにおさまるように、ごはんや肉、魚、脂の量などを具体的に割り出していく**

▶詳しくはp.22～23

大切なのは"1食あたり何をどうしたらいいか"という視点

栄養指導を行ううえで千葉大学医学部附属病院の臨床栄養部が特に大切にしているのが、"1食あたりをどうするか"という点を明確にすることです。

まず、栄養指導では総摂取エネルギー量を適正にするため、標準体重と活動量の目安から1日に必要なエネルギー量を割り出します。肥満がある人、ふだんから食べすぎている人は、総摂取エネルギー量を減らすことになります。

しかしここで問題なのが、1日の総摂取エネルギー量がわかっても、自分は何をどれくらい食べてよいのか、わからない患者さんが多いという点です。1食につき、何を、どれくらい食べればいいかがはっきりわかれば、1日3回の食事で迷うことも少なくなります。

食事療法を長く継続してもらうには、わかりやすく、自分で管理しやすいことが大切です。そのために"1食あたりをどうするか"がカギとなるのです。

Point 3 特に重要なのは脂質や糖質の種類&バランス

食事でとるエネルギーの配分

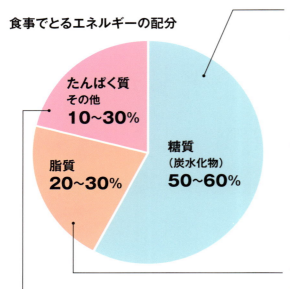

たんぱく質その他 10〜30%
脂質 20〜30%
糖質（炭水化物）50〜60%

糖質は食事全体の50〜60%におさまるようにとる

糖質は主に主食となる精白米や玄米、雑穀などの穀類、パンや麺などの小麦製品のほか、いも類、くだもの、砂糖などに含まれる。重要なエネルギー源であるが、とりすぎると脂肪として蓄えられ、肥満の原因になるため、全体の約半分におさめる。

● 糖質のグループ

ごはん　じゃがいも　ぎょうざの皮　うどん　など

脂質は20〜30%におさめる。飽和脂肪酸のとりすぎに注意

1gあたり約9kcalあり、とりすぎは要注意。脂質をとる際は種類を見きわめることが重要となる。LDLコレステロールを上げやすい飽和脂肪酸が多く含まれるバターなどの乳製品や肉類の脂肪は控え、植物性脂肪や魚油に多い不飽和脂肪酸を中心にとるとよい。調理油にはオリーブ油がおすすめ。

● 脂質のグループ

オリーブ油　クリームチーズ　ナッツ　マヨネーズ　など

！ 残りをたんぱく質やビタミン、ミネラルなどで補う

たんぱく質は筋肉や内臓、骨など体を構成する主成分となるため、魚や肉、卵、大豆、豆腐・納豆などの大豆製品、牛乳、ヨーグルトやチーズなどの乳製品をバランスよくとるとよい。ビタミンやミネラルは野菜や海藻類を中心に補給する。

▶ いずれも、具体的な食材例はp.23へ

エネルギー量の目安とともに栄養バランスを考える

脂質異常症の食事療法では、エネルギー源となる糖質・脂質・たんぱく質の三大栄養素の配分が重要です。上図のように、糖質（主食）でエネルギー全体の50〜60%をとり、脂質を20〜30%、そして残りの10〜30%をたんぱく質やビタミン、ミネラルなどで補うようにするのが理想的です。

コレステロールや中性脂肪の数値が高いからといって、単純に脂質を減らせばよいわけではありません。この3つのバランスがくずれると、むしろLDLや中性脂肪の値が悪化しやすくなります。

最近、ダイエットのために糖質を制限する方法が広く知られていますが、ごはんやパン、麺類などを一切とらずにほかのおかずに置き換えると脂質の摂取量が増加して、かえって脂質異常症が悪化してしまう危険があります。中性脂肪値が高い人に適度な糖質制限は効果的ですが、一切糖質をとらないの

Point 4　くだもの、揚げもの、おやつ、お酒を悪者にしなくてもOK

くだもの
適量であれば毎日食べてOK

くだものには果糖が多く含まれているが、適正な量を食べることは、動脈硬化性疾患の発生率を下げるといわれている。毎日100〜200gを目安に食べるのがおすすめ（p.192参照）。

揚げもの
毎食でなければOK

天ぷらやから揚げ、フライなどの揚げものはカロリーが高めだが、1日の適正エネルギー摂取量の範囲内であれば食べてもよい。毎食でなければ極端に制限する必要はない。

おやつ
種類と頻度を工夫すればOK

糖質が多いうえ、特に洋菓子に使われるバターや生クリームなどには脂質も多い。和菓子に置き換えるか、量や頻度を抑えるなどの工夫をすれば食べてもよい（p.192参照）。

お酒
適量を守ればOK

肝炎などの肝疾患があれば、その制限を守る。中性脂肪値が高い人は制限の範囲内で飲む。なお、飲酒時の食事やつまみで適正エネルギー摂取量をオーバーしないように注意する。

Point 6　食物繊維は積極的にとる

食物繊維は、摂取量を増やすことで動脈硬化性の病気予防に効果が期待できる。特に水溶性の食物繊維にはLDLコレステロール値を下げる効果も。玄米や全粒粉のパンなど未精製の穀類を取り入れ、大豆製品や豆類、野菜、きのこ、海藻をたっぷりとるのがおすすめ（p.112参照）。

> 食物繊維1日の目標摂取量 25g以上を目安にとろう！

 LDLコレステロール値が高い人は、1日200mg未満に抑えよう

Point 5　コレステロールの摂取は"ほどほど"なら心配ない

コレステロールは、肝臓での代謝によって数値が高くなる人もいる。食事との関連性が必ずしもあるわけではなく、この場合は薬で下がることが多い。だからといってとりすぎはよくないので、LDLコレステロールが高い人は食材選びに注意したほうがよい。

とりすぎに注意が必要な食品のコレステロール値（例）

するめいか（100g）	250mg
たらこ（80g）	280mg
かずのこ（60g）	222mg
鶏レバー（60g）	222mg
鶏卵（50g）	185mg
プロセスチーズ（25g）	20mg

（カッコ内の重量は目安量。数値は「日本食品標準成分表2020年版（八訂）」より）

食べてはいけない食材はない。偏らなければ大丈夫

食事療法というと、大好きなお肉が食べられなくなるなどと悲観的になるかもしれませんが、そんなことはありません。基本的に、食事療法では食べてはいけない食材はありません。お肉や揚げ物も、お酒やおやつも摂取エネルギー量の範囲内であれば、とってかまいません。要は、量ととり方です（上図参照）。

減塩（p.52参照）が必要な人、ダイエットが必要な人には個別の栄養指導を追加し、外食時の工夫も指導するなど、食事療法を長く続けられるようにします。

ではなく、糖質の種類を見きわめながら行いましょう。肥満につながりやすいお菓子の砂糖やブドウ糖は控え、くだものの果糖などを適正にとる工夫が必要です。脂質も糖質同様、種類によってとり方を調節します。LDLコレステロールを上げやすい動物性脂肪の飽和脂肪酸ではなく、植物性脂肪や魚油に多い不飽和脂肪酸を中心にとるようにします。

1日の献立の考え方

1日に食べる食品の種類&量を3食に分ける

1日の総摂取エネルギー量を朝・昼・晩で3等分にして1食ずつ献立を考えると、具体的な量と種類をイメージしやすくなります。

1日の適正エネルギー摂取量が1800kcalの人の献立の立て方

Aさんの場合
- 50代男性／身長180cm／体重88kg BMI27の肥満体型
- 身体活動量は軽度（25〜30kcal/kg）
- 脂質異常症と診断（LDLコレステロール210mg/dL、中性脂肪250mg/dL、HDLコレステロールは正常）
- 血糖値は正常範囲だが、高め

AさんはLDLコレステロールと中性脂肪のどちらも基準値をオーバー。肥満もあり、血糖値も正常範囲内だが高めのため、糖質のとりすぎに注意が必要。1日1800kcalを目安とし、1食あたり600kcalの範囲内におさめるように指導。

アレンジ1
コレステロールのみ高い
▼
高コレステロール食品に注意

主食の糖質はふつうにとってよいが、コレステロールを多く含む食品（p.21参照）は要注意。脂身の多い肉類、バターの摂取を控え、植物性脂肪や青背魚を中心にする。

アレンジ2
中性脂肪のみ高い
▼
糖質のとり方に注意

コレステロールを含む食品はあまり気にしなくてよいが、糖質や飲酒に要注意。ごはんや麺類、パンなどの主食を食べすぎないようにし、いも類は80gまで、くだものも100gまでに抑える。甘いお菓子も控える。

栄養素のグループをもとに、1食ずつメニューを組み立てる

1日の適正エネルギー摂取量を守り、その範囲内で栄養バランスのとれた食事をとるには、1食ずつの量と献立を考えるようにすると管理しやすくなります。

例えば、1日の適正エネルギー摂取量が1800kcalの場合、具体的な食べる量の目安と栄養素のグループ分けは左ページの表のようになります。この表をもとに3食に振り分け、"1食あたりどんな食品を、どれくらい食べるか"を組み立てるようにします。

メニュー選びがワンパターンになったり、偏ったりしないようにするには、栄養素が同じグループの食材を覚えておくとよいでしょう。そうすれば同じグループ内の食材に変換・代替することでメニューの幅が広がり、選択肢も増えます。

22

1日に食べてよい目安量と栄養素のグループをチェック！

（1日の適正エネルギーが1800kcalの場合）

栄養素のグループ	エネルギー量	主な食品	代替食品（主な食品と同等のエネルギー量）
糖質源	960kcal	ごはん 170g×3杯※	食パン110g（6枚切り2枚）、麺220g、コーンフレークまたはオールブラン80g、玄米170g、もち140g　など
糖質源		じゃがいも 80～100g	里いも140g、とうもろこし90g、かぼちゃ90g、さつまいも80g　など
糖質源	80kcal	りんご 100～200g	いちご250g、バレンシアオレンジ200g（1個）、みかん200g（2個）、グレープフルーツ200g（1個）、キウイフルーツ150g（2個）、バナナ100g（中1本）　など
たんぱく質源	80kcal	あじ 中1尾60g	たら100g（大1切れ）、かれい80g（1切れ）、鮭60g（中2/3切れ）、まぐろ赤身60g、さば40g（1/2切れ）　など
たんぱく質源	80kcal	豚もも、豚ヒレ 60g	豚ロース40g、牛ヒレ・牛もも肉60g、牛ロース40g、鶏ささみ80g、鶏もも肉（皮なし）60g、豚ひき肉40g　など
たんぱく質源	80kcal	卵 Mサイズ 1個50g	うずら卵50g（5～7個）、卵豆腐100g、プロセスチーズ20g　など　※なるべく控えめにする
たんぱく質源	80kcal	木綿豆腐 100g（1/3丁）	絹ごし豆腐150g（1/2丁）、おから80g、枝豆60g、油揚げ20g（2/3枚）、納豆40g（1パック）、ゆで大豆40g、豆乳180ml　など
たんぱく質源	120kcal	牛乳コップ1杯（180ml）	無脂肪牛乳360ml、低脂肪牛乳240ml、全脂無糖ヨーグルト180g、スキムミルク30g　など
脂質源	160kcal	植物油 大さじ1杯（20g）	ドレッシング40g（大さじ3強）、バター・マーガリン各20g、マヨネーズ20g（大さじ1½）　など
ビタミン・ミネラル源	80kcal	野菜 350g+α	緑黄色野菜（小松菜、ほうれん草、アスパラガス、にんじん、トマト、ブロッコリー、ピーマン　など）合わせて150g+淡色野菜（キャベツ、もやし、ごぼう、れんこん　など）合わせて200g+海藻、きのこ、こんにゃくなどは適宜
調味料	24kcal	みそ12g（みそ汁1杯分)	
調味料	15kcal	砂糖4g（小さじ1強）	みりん7g（小さじ1強）、はちみつ5g（小さじ1弱）　など

※いも類をとらないときは、1食あたりのごはん180gまでOK

3食に振り分けて1食のメニューを考える

▶具体的な献立例はp.24～へ

"マイ・プレート"で1食分をイメージする

"マイ・プレート"とは、アメリカで誕生した食事摂取基準。食品を量と重要度によってピラミッドのような三角形に配置したものを、1枚のお皿に変換して表示してあります。

1枚のお皿を4つのパートに分け、栄養素ごとに4つのグループの食品を盛ることで、"何を、どれくらい食べるか"が視覚的にわかります。

お皿の半分に野菜とくだものを、残り半分に穀類とたんぱく質を盛りつけ、飲み物と乳製品を追加すれば、栄養バランスのとれた食事ができるというわけです。この考え方を活用すれば食事療法も続けやすくなるでしょう。

トランス脂肪酸に注意

トランス脂肪酸は避けることが望ましいとされています。なぜなら、トランス脂肪酸はLDLコレステロール値を上げてHDLコレステロール値を下げ、動脈硬化を進行させるからです。マーガリンやショートニングに多く含まれるので、これらを使った食品などは避けましょう。

千葉大学医学部附属病院栄養相談室の実例を再現!

エネルギー	食物繊維	コレステロール	脂質	塩分
498kcal	10.9g	54mg	10.5g	1.5g

1日1800kcalの人の 朝食例

- コーヒー
- いちご
- ヨーグルト(無糖)
- ひじきの煮もの
- 小ねぎ入り納豆
- ごはん(玄米)

副菜
ひじきの煮もの

材料（1人分）

ひじき（乾燥）	7g	ビ
にんじん	15g（1.5cm）	ビ
こんにゃく	15g（1/16枚）	ビ
いんげん	10g（小2本）	ビ
ごま油	小さじ1/4	脂
だし	大さじ4	
しょうゆ	小さじ5/6	
砂糖	小さじ2/3	調

作り方［調理時間15分（ひじきをもどす時間を除く）］

1 ひじきはたっぷりの水に浸してもどし、水洗いして、水けをきる。にんじんとこんにゃくは拍子木切りに、いんげんは斜め切りにする。

2 鍋を中火で熱しごま油を入れ、にんじん、こんにゃく、いんげんを炒める。全体に油が回ったら、ひじきを加えて炒め合わせる。

3 全体になじんだら、だしを加えてひと煮立ちさせ、弱火にしてしょうゆと砂糖を入れて混ぜ、煮汁がほとんどなくなるまで、ときどき混ぜながら煮含める。

エネルギー	食物繊維	コレステロール	脂質	塩分
42kcal	4.6g	0mg	1.2g	0.9g

- - - - - - - -

コーヒー　150g

動脈硬化を防ぐ可能性あり

エネルギー	食物繊維	コレステロール	脂質	塩分
6kcal	0.0g	0mg	0.0g	0.0g

糖=糖質源、た=たんぱく質源、脂=脂質源、
ビ=ビタミン・ミネラル源、調=調味料を表す（→p.23）

副菜
小ねぎ入り納豆

材料（1人分）

納豆	30g（3/4パック）	た
卵	10g（1/5個）	た
しょうゆ	小さじ1/2	
小ねぎ	5g（1本）	ビ

作り方［調理時間5分］

1 小ねぎは小口切りにする。

2 器に納豆、卵、しょうゆを入れてよく混ぜ、1をのせる。

エネルギー	食物繊維	コレステロール	脂質	塩分
75kcal	2.1g	37mg	3.8g	0.5g

- - - - - - - -

主食
ごはん（玄米）（1人分）　170g　糖

エネルギー	食物繊維	コレステロール	脂質	塩分
258kcal	2.4g	0mg	1.5g	0.0g

- - - - - - - -

デザート
いちご（1人分）　125g（8粒）糖

エネルギー	食物繊維	コレステロール	脂質	塩分
39kcal	1.8g	0mg	0.1g	0.0g

ヨーグルト（無糖）　140g　た

エネルギー	食物繊維	コレステロール	脂質	塩分
78kcal	0.0g	17mg	3.9g	0.1g

※自然派甘味料（ラカントなど）なら少量入れても。

アレンジ1
LDLコレステロールだけが高い人は？
▼
自然派甘味料のかわりにオリゴ糖でも

中性脂肪が高くなければ、摂取エネルギー量を見ながら少し糖分を増やしてもOK。ヨーグルトにオリゴ糖を入れたり、コーヒーに少量の砂糖を入れても。ごはんの量を増やしても可。

アレンジ2
中性脂肪だけが高い人は？
▼
納豆のかわりに卵料理でも

LDLコレステロールが高くないのであれば、副菜の納豆を目玉焼きや卵焼きなどの卵料理にかえてもOK。納豆に温泉卵を加えてもよい。

エネルギー	食物繊維	コレステロール	脂質	塩分
580kcal	14.0g	53mg	13.6g	1.5g

1日1800kcalの人の 昼食例

紅茶
きんぴらごぼう
キウイフルーツ
しょうが焼き
たっぷり野菜サラダ添え
ごはん（玄米）

副菜
きんぴらごぼう

材料（1人分）

ごぼう	55g（約⅓本）ビ
にんじん	20g（2㎝）ビ
ごま油	小さじ¾ 脂
みりん	小さじ½ 調
しょうゆ	小さじ⅚
白ごま	少々 脂

作り方［調理時間15分］

1 ごぼうとにんじんは3～4㎝長さの細切りにする。

2 鍋を中火で熱しごま油を入れ、1を加えて油が全体に回るまでよく炒める。みりんとしょうゆを加えて炒め合わせ、水分がほぼなくなったら火を止める。

3 器に盛り、白ごまをちらす。

エネルギー	食物繊維	コレステロール	脂質	塩分
79kcal	3.7g	0mg	3.3g	0.7g

デザート
キウイフルーツ（1人分）　75g（¾個）糖

エネルギー	食物繊維	コレステロール	脂質	塩分
38kcal	2.0g	0mg	0.2g	0.0g

紅茶　150g

動脈硬化を防ぐ可能性あり

エネルギー	食物繊維	コレステロール	脂質	塩分
2kcal	0.0g	0mg	0.0g	0.0g

主菜
しょうが焼き
たっぷり野菜サラダ添え

材料（1人分）

豚もも肉	80g た
ブロッコリー	100g（⅓株）ビ
キャベツ	30g（½枚）ビ
サラダ油	小さじ1 脂
A しょうゆ	小さじ⅚
みりん	小さじ⅓ 調
しょうが（すりおろし）	1g
ミニトマト	15g（1個）ビ

作り方［調理時間20分］

1 ブロッコリーは食べやすい大きさに切り、ゆでる。キャベツはせん切りにし、ブロッコリーと合わせる。

2 フライパンにサラダ油を入れて中火で熱し、豚肉を入れる。焼き色がついたら裏面も同じように焼き、Aを加えて煮からめる。

3 器に1と2を盛り、ミニトマトを添える。

エネルギー	食物繊維	コレステロール	脂質	塩分
203kcal	5.9g	53mg	8.6g	0.8g

主食
ごはん（玄米）（1人分）　170g 糖

エネルギー	食物繊維	コレステロール	脂質	塩分
258kcal	2.4g	0mg	1.5g	0.0g

糖＝糖質源、た＝たんぱく質源、脂＝脂質源、
ビ＝ビタミン・ミネラル源、調＝調味料を表す（→p.23）

アレンジ1
LDLコレステロールだけが高い人は？
▼
糖分が多めのくだものにかえても

中性脂肪が高くないのであれば、くだものをキウイフルーツやオレンジではなく、糖分が多めのぶどうやバナナなどにかえてもOK。

アレンジ2
中性脂肪だけが高い人は？
▼
少し脂身がある肉にかえても

LDLコレステロールが高くないのであれば、主菜のお肉は、脂身のないもも肉やヒレ肉ではなく、少し脂が含まれるロース肉にかえてもよい。

エネルギー	食物繊維	コレステロール	脂質	塩分
582kcal	8.3g	61mg	19.1g	2.9g

1日1800kcalの人の 夕食例

ほうれん草の煮浸し

もずく酢

ごはん（玄米）

さばの塩焼き 大根おろし、エリンギ炒め添え

実例レシピの1日3食分の合計の栄養成分

エネルギー	食物繊維	コレステロール	脂質	塩分
1800kcal	33.0g	173mg	50.0g	6.4g

副菜
もずく酢

材料（1人分）

もずく（塩抜き）	40g	ビ
きゅうり	10g（⅑本）	ビ
A 酢	小さじ1	
しょうゆ	小さじ⅔	
だし	小さじ⅘	
砂糖	小さじ⅔	調

作り方［調理時間5分］

1 もずくは水で洗い、長ければ食べやすい大きさに切る。きゅうりは輪切りにする。

2 ボウルにAを入れてよく混ぜ、1を加えて和える。

エネルギー	食物繊維	コレステロール	脂質	塩分
18kcal	0.9g	0mg	0.0g	0.8g

副菜
ほうれん草の煮浸し

材料（1人分）

ほうれん草	100g（⅓束）	ビ
油揚げ	2g（1/15枚）	た
だし	大さじ2	
みりん	小さじ⅓	調
しょうゆ	小さじ1	

作り方［調理時間10分］

1 ほうれん草はかためにゆで、冷水にさらしてアクをぬく。水けをしぼり、3cm長さに切る。油揚げは油抜きし、細切りにする。

2 鍋にだしとみりん、しょうゆを入れて強火にかける。煮立ったら1を入れてひと煮立ちさせる。

エネルギー	食物繊維	コレステロール	脂質	塩分
36kcal	2.8g	0mg	0.8g	0.9g

主菜
さばの塩焼き 大根おろし、エリンギ炒め添え

材料（1人分）

さば	100g	た
塩	少々（0.5g）	
大根	30g（0.8cm）	ビ
エリンギ	40g（1本）	ビ
サラダ油	小さじ1	脂
しょうゆ	小さじ½	
レモン	15g	

作り方［調理時間20分］

1 さばはペーパータオルで水けをふき、真ん中に切れ目を入れ、塩をふる。大根はすりおろし、水けをしぼる。エリンギは縦3等分に裂き、長さを半分に切る。

2 さばは、魚焼きグリルで10分くらい焼く。

3 フライパンを中火で熱してサラダ油をひき、エリンギを炒める。

4 器に2と3、大根おろしを盛り、レモンを添える。大根おろしにしょうゆをかける。

エネルギー	食物繊維	コレステロール	脂質	塩分
270kcal	2.2g	61mg	16.8g	1.2g

主食
ごはん（玄米）（1人分）　170g 糖

エネルギー	食物繊維	コレステロール	脂質	塩分
258kcal	2.4g	0mg	1.5g	0.0g

糖＝糖質源、た＝たんぱく質源、脂＝脂質源、
ビ＝ビタミン・ミネラル源、調＝調味料を表す（→p.23）

アレンジ1
LDLコレステロールだけが高い人は？
▼
ごはんを白米にかえても

ごはんを玄米から白米にかえても。適正エネルギー内なら、主食からアルコールに変更してもOK。

アレンジ2
中性脂肪だけが高い人は？
▼
主菜を魚から肉にかえても

適正エネルギー内であれば、焼肉、肉野菜炒め、しゃぶしゃぶなどの肉料理に変更してもOK。

この本の料理を順番に選ぶだけで献立が完成！

1食分の目安量を参考しながら料理を選ぶだけで献立が作れます。
1日の合計が目標値くらいになれば、1食の量は前後してもかまいません。

■各栄養成分の1食分を目安にして、1日の合計が目標値になるように調整しましょう

エネルギー	1日1800kcal→1食600kcal前後
食物繊維	1日25g以上→1食8g以上
コレステロール	LDLコレステロールが高いなら1日200mg未満→1食60mg前後
脂質	1日40〜50g→1食13〜17g
塩分	1日8g未満→1食2.5g未満

Step 1　主食を決める

主食は170gと、あらかじめ量を固定する。いも類をとらない場合は180gにしてもよい。

ごはん

茶碗1杯170g
265kcal
塩分0g

or

パン

食パン
6枚切り2枚
120g
298kcal
塩分1.4g

麺類の場合
ゆでうどん 200g
190kcal／塩分0.6g
ゆでそば 240g
312kcal／塩分0.0g
蒸し中華麺 160g
259kcal／塩分0.5g
スパゲッティ(乾) 80g
278kcal／塩分0.0g

丼ものや麺類を選ぶときは？
主食＋主菜ととらえて、副菜をプラスする

副菜で野菜のおかずを1〜2品足すとバランスがとれる。全体の塩分量に余裕があれば、汁ものをプラスしてもよい。
→丼もの、麺類レシピはp.164〜179で紹介

Step 2　主菜（たんぱく質源となるおかず）を決める

p.23表のたんぱく質源の、魚、肉、卵、大豆製品からメインでとりたい食品を決める。つけあわせに野菜が多いものを選ぶと、野菜の摂取量が増える。

魚介のおかず
→p.56〜75

肉のおかず
→p.76〜89

豆腐・大豆製品のおかず
→p.90〜103

卵のおかず
→p.104〜107

LDLコレステロールが高い場合は？
1日のコレステロール量は200mg未満に

LDLコレステロール値が高い人は、コレステロール摂取量を1日200mg未満に抑えることで、LDLコレステロール値の低下が期待でき、動脈硬化を予防できる可能性が。肉や魚、卵などの主菜に多く含まれるので、栄養成分を確認しながら選ぶ。

Step 3　副菜や汁ものを選び、デザートを追加する

副菜　→p.114〜149
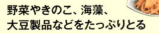
野菜やきのこ、海藻、大豆製品などをたっぷりとる

主菜のつけあわせだけでは、1食に必要な野菜の量はまかなえない。海藻やきのこ、こんにゃくを使ったものも含めて計2品程度選ぶ。

汁もの　→p.155〜158
料理全体の塩分が控えめなときに追加

全体の塩分量に応じて汁ものはあってもなくてもOK。取り入れる場合はできるだけ具だくさんのものを。手間をかけずに簡単に作れるものでも。

デザート　→p.194〜201
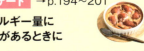
エネルギー量に余裕があるときに

デザートはくだものが望ましいが、たまにはスイーツにしてもOK。ただし、主食や主菜、副菜を選んでもなお、摂取エネルギー量に余裕があるときにする。

Part 2

主菜・副菜・汁ものなどの組み合わせがひと目でわかる
献立レシピ

食事療法は始めたい。でも、どんなふうに献立を考えればいいのかわからない。
そこで定番メニューを減塩＆減油脂レシピにアレンジし、定食や
モーニングセット風の献立にしました。
まねするだけで、食物繊維がしっかりとれ、
塩分と油脂分がコントロールできる10献立を紹介します。

【INDEX】
• "うす味計画"でおいしく減塩…p.52

鶏のから揚げ定食 (p.36)

あじの塩焼き定食 (p.34)

最後にたれをからめて表面にしっかり味をつける

ぶりの鍋照り焼き定食

▼この献立の栄養成分

エネルギー	食物繊維	コレステロール	脂質	塩分
637kcal	10.6g	72mg	17.2g	2.6g

ブロッコリーの白和え

ぶりの鍋照り焼き

沢煮椀

献立　ぶりの鍋照り焼き定食

主菜
ぶりの鍋照り焼き

材料（1人分）
ぶり	80g（1切れ）
大根	40g（1cm）
ピーマン	30g（1個）
サラダ油	小さじ½
しょうゆ	小さじ1⅓
みりん	小さじ1

作り方［調理時間**20分**］

1 大根は半月切りにし、ラップで包み、電子レンジ（600W）で1分加熱する。ピーマンは乱切りにする。

2 フライパンにサラダ油を中火で熱し、ぶり、大根、ピーマンを入れて焼く。大根とピーマンは焼き色がつき、火が通ったらとり出す。ぶりは両面とも焼いて火を通す。

3 火を止め、しょうゆとみりんを加え、余熱でぶりにからめる。

4 器に、3と大根、ピーマンを盛り合わせる。

エネルギー	食物繊維	コレステロール	脂質	塩分
228kcal	1.2g	58mg	12.5g	1.2g

副菜
ブロッコリーの白和え

材料（1人分）
ブロッコリー	60g（¼株）
ひじき	小さじ1（1g）
しょうゆ	小さじ⅓
木綿豆腐	50g（⅙丁）
A　白すりごま	小さじ½
砂糖	小さじ¼
塩	少々
練りからし	少々

作り方［調理時間**10分**（ひじきをもどす時間除く）］

1 ひじきは水につけてもどす。

2 ブロッコリーは小房に分けてゆでる。ひじきもゆで、ざるにあげて水けをきり、しょうゆと混ぜ合わせ、冷ます。

3 豆腐はペーパータオルに包んで水けをきり（重しはしない）、細かくつぶす。Aと混ぜ、さらに2と混ぜ合わせる。

エネルギー	食物繊維	コレステロール	脂質	塩分
74kcal	4.3g	0mg	3.2g	0.6g

主食
ごはん（1人分）　180g

エネルギー	食物繊維	コレステロール	脂質	塩分
281kcal	2.7g	0mg	0.4g	0.0g

汁もの
沢煮椀

材料（1人分）
えのきたけ	30g（⅙袋）
水菜	30g（1½株）
長ねぎ	15g（3cm）
豚もも薄切り肉（赤身）	20g
だし	¾カップ
塩	少々
しょうゆ	小さじ⅓
粉山椒	少々

作り方［調理時間**10分**］

1 えのきたけと水菜は長さを3等分に切る。長ねぎと豚肉はせん切りにする。

2 鍋にだしを煮立て、豚肉を入れてほぐす。煮立ったら長ねぎ、えのきたけ、塩、しょうゆを加え、さらに水菜を加えてひと煮立ちさせる。

3 器に盛り、山椒をふる。

エネルギー	食物繊維	コレステロール	脂質	塩分
54kcal	2.4g	14mg	1.1g	0.8g

減量のコツ

きのこや野菜から食べる

毎食しっかりとりたいきのこや野菜は、低エネルギーで食物繊維が豊富。食物繊維は胃腸に長くとどまるため、おなかがふくれます。それによってごはんや肉、魚などの主菜を食べすぎずにすみます。

青背魚を食べてコレステロール値を下げる

あじの塩焼き定食

▼この献立の栄養成分

エネルギー	食物繊維	コレステロール	脂質	塩分
549kcal	7.9g	73mg	10.1g	2.2g

スナップえんどうと
ミニトマトのごまみそ和え

キャベツとアスパラの
ゆずこしょう炒め

あじの塩焼き

献立　あじの塩焼き定食

主菜

あじの塩焼き

材料（1人分）

あじ	180g（大1尾）
塩	少々（0.8g）
長いも	30g
大根	40g（1㎝）
レモン（くし形切り）	1切れ
しょうゆ	小さじ⅓

作り方［調理時間20分］

1 あじはゼイゴ、えら、内臓をとり除いて洗い、水けをふき取る。真ん中に切り目を入れて塩をふり、5分くらい置く。

2 軽く水けをふき、輪切りにした長いもと一緒に魚焼きグリルで8〜9分焼く。

3 大根はすりおろして軽く水けをきる。

4 器に2を盛り、3とレモンを添える。大根おろしにしょうゆをかける。

エネルギー	食物繊維	コレステロール	脂質	塩分
150kcal	1.1g	73mg	3.8g	1.4g

副菜

キャベツとアスパラのゆずこしょう炒め

材料（1人分）

キャベツ	60g（1枚）
アスパラガス	45g（3本）
オリーブ油	小さじ1
ゆずこしょう	少々
しょうゆ	小さじ⅓

作り方［調理時間10分］

1 キャベツは大きめの短冊切り、アスパラガスはかたい部分を切り、ハカマをそいで斜め切りにする。

2 フライパンを中火で熱し、オリーブ油を入れて1を炒める。ゆずこしょう、しょうゆを加え、炒め合わせる。

エネルギー	食物繊維	コレステロール	脂質	塩分
59kcal	1.9g	0mg	4.1g	0.4g

主食

ごはん（1人分）　180g

エネルギー	食物繊維	コレステロール	脂質	塩分
281kcal	2.7g	0mg	0.4g	0.0g

副菜

スナップえんどうとミニトマトのごまみそ和え

材料（1人分）

スナップえんどう	40g（4本）
ミニトマト	45g（3個）
A　黒すりごま	小さじ1
みそ	小さじ½
砂糖	小さじ¼

作り方［調理時間10分］

1 スナップえんどうは筋をとってゆで、縦半分に割る。ミニトマトは半分に切る。

2 Aを混ぜてから、1を和える。

エネルギー	食物繊維	コレステロール	脂質	塩分
59kcal	2.2g	0mg	1.8g	0.4g

コレステロール値を下げるコツ

塩分控えめの和食にする

塩分控えめにした伝統的な和食は、冠動脈疾患の予防に役立つことがわかっています。なぜなら、和食は青背魚や野菜、豆類など、コレステロール値を下げる効果がある食材を使用することが多いからです。エネルギー量も少なめなので、減量にも効果があります。

食材を大きく切れば油を吸う量が少ない
鶏のから揚げ定食

▼この献立の栄養成分

エネルギー	食物繊維	コレステロール	脂質	塩分
578kcal	9.0g	100mg	12.4g	2.3g

トマトともずくのしょうが酢和え

かぶとあさりの煮もの

鶏のから揚げ

献立　鶏のから揚げ定食

主菜
鶏のから揚げ

材料（1人分）
鶏もも肉（皮なし）………100g
A｜にんにく（すりおろし）‥少々
　｜しょうが（すりおろし）‥¼かけ分
　｜しょうゆ …………小さじ1
　｜こしょう …………少々
　｜砂糖……………2つまみ
かぼちゃ ……………50g
片栗粉 ………………適量
揚げ油 ………………適量
レタス ………………少々

作り方［調理時間20分（もみこむ時間除く）］
1　鶏肉はひと口大に切り、Aをもみこみ、20分くらい置く。
2　かぼちゃは種とワタをとり、ラップで包んで電子レンジ（600W）で1分加熱する。冷まして、食べやすい大きさに切る。
3　170度の油にかぼちゃを入れ、さっと揚げる。1に片栗粉を薄くまぶし、140度の油に入れ、温度を上げながらきつね色になるまで4〜5分からりと揚げる。
4　器に、レタスとかぼちゃ、から揚げを盛る。

エネルギー	食物繊維	コレステロール	脂質	塩分
238kcal	2.2g	87mg	11.7g	1.1g

副菜
トマトともずくの
しょうが酢和え

材料（1人分）
トマト ………………60g（小½個）
もずく ………………40g
A｜しょうが（すりおろし）‥¼かけ分
　｜酢 ……………小さじ2
　｜砂糖……………小さじ½
　｜塩 ……………少々（0.3g）

作り方［調理時間5分］
1　トマトは乱切りに、もずくは食べやすい長さに切る。
2　1と、混ぜ合わせたAを和える。

エネルギー	食物繊維	コレステロール	脂質	塩分
24kcal	1.6g	0mg	0.1g	0.5g

コレステロール値を下げるコツ

水溶性の食物繊維をたっぷりとる
野菜や海藻に含まれる食物繊維の摂取量を増やすと冠動脈疾患による死亡率が下がることがわかっています。特に水溶性食物繊維にはLDLコレステロール値を下げる働きがあるので、積極的に食べましょう。

副菜
かぶとあさりの煮もの

材料（1人分）
かぶ ………………80g（1個）
かぶの葉 …………50g
あさり水煮缶 ………15g
だし ………………⅓カップ
みりん ……………小さじ½
しょうゆ …………小さじ½

作り方［調理時間15分］
1　かぶはくし形に切る。かぶの葉はラップで包み、電子レンジ（600W）で30秒加熱し、3cm長さに切る。
2　鍋にだし、みりん、かぶを入れて中火にかけ、沸騰したら弱火にしてふたをし、5分くらい煮る。あさり、かぶの葉、しょうゆを加え、かぶがやわらかくなるまで煮る。

エネルギー	食物繊維	コレステロール	脂質	塩分
51kcal	2.6g	13mg	0.3g	0.7g

主食
かぼちゃがあるのでごはんを10g少なく
ごはん（1人分）　170g

エネルギー	食物繊維	コレステロール	脂質	塩分
265kcal	2.6g	0mg	0.3g	0.0g

食物繊維がたっぷりとれるメニュー
焼きぎょうざ定食

▼この献立の栄養成分

エネルギー	食物繊維	コレステロール	脂質	塩分
595kcal	9.6g	122mg	12.0g	2.4g

卵スープ

大豆もやしのエスニックサラダ

焼きぎょうざ

献立 | 焼きぎょうざ定食

主菜
焼きぎょうざ

材料（1人分）

キャベツ	40g（⅔枚）
にら	20g（⅕束）
豚ひき肉（赤身）	50g

A
しょうが・にんにく（各すりおろし）	各少々
しょうゆ	小さじ½
ごま油	小さじ¼
オイスターソース	小さじ⅕
こしょう	少々

長ねぎ（みじん切り）	小さじ1
ぎょうざの皮	6枚
サラダ油	小さじ¼
ごま油	小さじ½

B
酢	小さじ1
しょうゆ	小さじ½
ラー油	少々

作り方［調理時間**20分**］

1 キャベツとにらはみじん切りにする。

2 ボウルにひき肉とAを入れて練り混ぜ、長ねぎ、1を加え、さっくり混ぜ合わせ、6等分にする。

3 ぎょうざの皮の縁に水をつけ、2を皮の真ん中においてヒダをつけながら包む。残りの5個も同じように包む。

4 フライパンにサラダ油をひき、3を並べる。中火にかけ、ぎょうざの高さ⅕くらいまで水（分量外）を入れ、ふたをし、蒸し焼きにする。7～8分たったらごま油を回し入れ、きつね色になるまで焼き色をつける。

5 器に盛り、Bを合わせたたれを添える。

エネルギー	食物繊維	コレステロール	脂質	塩分
229kcal	2.2g	33mg	7.4g	1.1g

副菜
大豆もやしのエスニックサラダ

材料（1人分）

大豆もやし	80g（⅖袋）
きくらげ（生）	30g
レタス	20g（小1枚）
さくらえび	2つまみ

A
レモン汁	小さじ2
ナンプラー	小さじ⅓
ごま油	小さじ¼
こしょう	少々

作り方［調理時間**10分**］

1 大豆もやし、きくらげはそれぞれゆでて、冷ます。レタスは食べやすい大きさにちぎり、さくらえびは粗く刻む。きくらげはせん切りにする。

2 1とAを混ぜ合わせる。

エネルギー	食物繊維	コレステロール	脂質	塩分
43kcal	3.7g	4mg	2.0g	0.5g

汁もの
卵スープ

材料（1人分）

わかめ（塩蔵）	5g
小松菜	40g（1株）
水	¾カップ
鶏ガラスープの素	小さじ¼
こしょう	少々
しょうゆ	小さじ⅓
卵	23g（小½個）

作り方［調理時間**10分**（わかめをもどす時間除く）］

1 わかめは洗って水に浸してもどし、ひと口大に切る。小松菜は2cm長さに切る。

2 鍋に水、鶏ガラスープの素を入れて中火で煮立て、小松菜を入れてさっと煮る。わかめ、塩、こしょう、しょうゆを加え、煮立ったら割りほぐした卵を回し入れる。

エネルギー	食物繊維	コレステロール	脂質	塩分
42kcal	1.0g	85mg	2.2g	0.8g

主食
ごはん（1人分） 180g

エネルギー	食物繊維	コレステロール	脂質	塩分
281kcal	2.7g	0mg	0.4g	0.0g

野菜も肉も大きめに切って食べごたえアップ

肉野菜炒め定食

▼この献立の栄養成分

エネルギー	食物繊維	コレステロール	脂質	塩分
551kcal	10.2g	67mg	12.6g	2.4g

きのこのおかか蒸し

きゅうりのレモンしょうゆ漬け

肉野菜炒め

献立 肉野菜炒め定食

主菜
肉野菜炒め

材料（1人分）
豚もも薄切り肉(赤身) … 100g
A｜しょうゆ … 小さじ½
　｜酒 … 小さじ½
　｜片栗粉 … 小さじ½
　｜こしょう … 少々
にんじん … 30g（3cm）
チンゲン菜 … 50g（½株弱）
長ねぎ … 15g（3cm）
ごま油 … 小さじ1½
にんにく(薄切り) … 1枚
大豆もやし … 50g（¼袋）
塩 … 小さじ⅙
こしょう … 少々

作り方［調理時間15分］
1 豚肉はひと口大に切り、Aと混ぜ合わせる。にんじんは短冊切りにし、ラップで包み電子レンジ（600W）で30秒加熱する。チンゲン菜は3cm長さに切り、長ねぎは1cm幅の斜め小口切りにする。

2 フライパンを強火で熱し、ごま油を入れ、豚肉を広げながら加えて両面とも焼く。にんにくと長ねぎを加えて炒め、チンゲン菜、大豆もやし、にんじんを加え炒める。塩、こしょうを加え、さらに炒め合わせる。

エネルギー	食物繊維	コレステロール	脂質	塩分
235kcal	2.8g	66mg	12.0g	1.6g

副菜
きのこのおかか蒸し

材料（1人分）
しいたけ … 40g（2枚）
しめじ … 60g（⅓袋）
削り節 … 0.5g（⅛袋）
しょうゆ … 小さじ½

作り方［調理時間5分］
1 しいたけは石づきをとって4つに切り、しめじは小房に分ける。

2 1を耐熱性の器に入れ、削り節としょうゆを加えて混ぜ、ふんわりラップをする。電子レンジ（600W）で2分加熱する。

エネルギー	食物繊維	コレステロール	脂質	塩分
27kcal	4.1g	1mg	0.2g	0.4g

主食
ごはん（1人分）　180g

エネルギー	食物繊維	コレステロール	脂質	塩分
281kcal	2.7g	0mg	0.4g	0.0g

副菜
きゅうりのレモンしょうゆ漬け

材料（1人分）
きゅうり … 30g（⅓本）
レモン(薄い輪切り) … 1枚
しょうゆ … 小さじ½

作り方［調理時間5分 (漬ける時間除く)］
1 きゅうりは麺棒などでたたき、食べやすい大きさに割り、レモンはいちょう切りにする。

2 ビニール袋に1としょうゆを入れ、空気を抜くように閉じる。10分くらい漬ける。

エネルギー	食物繊維	コレステロール	脂質	塩分
8kcal	0.6g	0mg	0.0g	0.4g

減塩のコツ

浅漬けなら塩分が抑えられる
漬け物を献立に加えると、塩分量が高くなってしまいがち。浅漬けにすれば、塩分の摂取量を抑えられます。浅漬けを副菜の一品ととらえて献立に加えれば、ある程度の量をしっかり食べられます。

山椒がピリリときいた本格中華メニュー
麻婆豆腐定食

▼この献立の栄養成分

エネルギー	食物繊維	コレステロール	脂質	塩分
567kcal	9.5g	46mg	14.3g	2.8g

チンゲン菜としらすの煮浸し

にんじんとレタスのナムル

麻婆豆腐

献立 麻婆豆腐定食

主菜

麻婆豆腐

材料（1人分）

豚ひき肉(赤身)	50g
にんにく	¼かけ
しょうが	¼かけ
木綿豆腐	100g（⅓丁）
まいたけ	60g（⅔袋）
にら	30g（約⅓束）
ごま油	小さじ1
豆板醤（トウバンジャン）	小さじ¼
甜麺醤（テンメンジャン）	小さじ½
しょうゆ	小さじ¾
水	⅓カップ
鶏ガラスープの素	小さじ¼
酒	小さじ½
A 片栗粉	小さじ1
水	小さじ2
粉山椒	少々

作り方［調理時間20分］

1 にんにく、しょうがはそれぞれみじん切りに、豆腐は厚みを半分に切り、2cmの角切りにする。まいたけは小房に分け、にらは3cm長さに切る。

2 フライパンを中火で熱し、ごま油を入れてひき肉をポロポロになるまで炒める。にんにく、しょうが、豆板醤を加えてさらに炒め、甜麺醤、しょうゆを加えて炒める。

3 水、鶏ガラスープの素、酒を入れ煮立て、豆腐、まいたけを入れ、ふたをする。沸騰後、弱火で2分くらい煮る。にらを加え、よく混ぜたAでとろみをつけ、ひと煮立ちさせる。

4 器に盛り、山椒をふる。

エネルギー	食物繊維	コレステロール	脂質	塩分
227kcal	4.4g	33mg	11.6g	1.5g

副菜

チンゲン菜としらすの煮浸し

材料（1人分）

チンゲン菜	80g（小1株）
しらす	5g
A だし	¼カップ
みりん	小さじ½
しょうゆ	小さじ½

作り方［調理時間10分］

1 チンゲン菜は葉を1枚ずつ外し、さっとゆでて3cm長さに切る。しらすは熱湯をかける。

2 鍋にAを中火で煮立て、1を入れる。沸騰したら弱火にしてふたをし、2〜3分煮る。

エネルギー	食物繊維	コレステロール	脂質	塩分
23kcal	1.0g	13mg	0.1g	0.8g

副菜

にんじんとレタスのナムル

材料（1人分）

にんじん	50g（大¼本）
レタス	15g（½枚）
A ごま油	小さじ½
塩	少々（0.5g）
にんにく(みじん切り)	少々
粉唐辛子	少々
白いりごま	少々

作り方［調理時間10分］

1 にんじんはせん切りにして、さっとゆで、ざるにあげて冷ます。レタスは長めの短冊切りにする。

2 水けをしぼったにんじんに、Aを混ぜ合わせる。さらにレタスを加えてさっと混ぜる。

3 器に盛り、白ごまをふる。

エネルギー	食物繊維	コレステロール	脂質	塩分
36kcal	1.4g	0mg	2.2g	0.5g

主食

ごはん（1人分）　180g

エネルギー	食物繊維	コレステロール	脂質	塩分
281kcal	2.7g	0mg	0.4g	0.0g

豆腐でエネルギーを抑えながらボリュームアップ
豆腐ハンバーグ定食

▼この献立の栄養成分

エネルギー	食物繊維	コレステロール	脂質	塩分
596kcal	11.3g	47mg	15.0g	2.4g

ブロッコリーの煮浸し

きゅうりとセロリのヨーグルトサラダ

豆腐ハンバーグ

献立　豆腐ハンバーグ定食

主菜

豆腐ハンバーグ

材料（1人分）

合いびき肉（赤身）……60g
木綿豆腐……50g（1/6丁）
玉ねぎ……20g（1/10個）
バター……小さじ1/4
パプリカ（赤）……40g（約1/5個）
しめじ……40g（1/4袋強）
塩……少々（0.8g）
こしょう・ナツメグ……各少々
オリーブ油……小さじ1
赤ワイン……小さじ2
A ケチャップ……小さじ2
　粒マスタード……小さじ1/2
プリーツレタス……10g（小1枚）

エネルギー	食物繊維	コレステロール	脂質	塩分
226kcal	3.3g	42mg	12.2g	1.3g

作り方［調理時間30分（冷ます時間、水きりする時間除く）］

1 玉ねぎはみじん切りにする。耐熱性の器にバターとともに入れ、ラップをせずに電子レンジ（600W）で40秒加熱し、混ぜたあと、冷ます。パプリカは乱切りに、しめじは小房に分ける。豆腐はペーパータオルに包み、重しをして10分くらい置き、水けをきる。

2 ボウルにひき肉、塩、こしょう、ナツメグを入れ、粘りが出るまで混ぜる。豆腐を加えてさらに混ぜ、玉ねぎを加えて混ぜ合わせ、小判形に形を整える。

3 フライパンを中火で熱し、オリーブ油を入れ、2を加えてふたをし、中火で3分、弱火で3分焼いて裏返す。パプリカとしめじを空いているところに入れ、さらに同様に焼き、器に盛る。

4 3のフライパンに赤ワインを入れて煮立てる。Aを加えて混ぜ、ソースを作る。

5 3の器に食べやすくちぎったレタスを添え、4のソースをかける。

副菜

きゅうりとセロリのヨーグルトサラダ

材料（1人分）

きゅうり……30g（1/3本）
セロリ……30g（約1/3本）
A ヨーグルト（無糖）……大さじ1
　マヨネーズ……小さじ1/2
　塩……少々（0.5g）
　こしょう……少々

作り方［調理時間5分］

1 きゅうりは半分に切ってから縦に薄切りに、セロリは筋をとり、斜め薄切りにする。

2 1とAと混ぜ合わせる。

エネルギー	食物繊維	コレステロール	脂質	塩分
29kcal	0.8g	5mg	1.9g	0.6g

副菜

ブロッコリーの煮浸し

材料（1人分）

ブロッコリー……60g（1/4株）
コーン（冷凍）……30g
だし……1/4カップ
みりん……小さじ1/2
しょうゆ……小さじ1/2

作り方［調理時間10分］

1 ブロッコリーは小房に分け、コーンは水でさっと洗う。

2 鍋にだし、みりんを入れて中火で煮立てる。1を入れ、ふたをする。沸騰したら弱火にして3～4分煮る。仕上げにしょうゆを加え、ひと煮立ちさせる。

エネルギー	食物繊維	コレステロール	脂質	塩分
60kcal	4.5g	0mg	0.5g	0.5g

主食

ごはん（1人分）　180g

エネルギー	食物繊維	コレステロール	脂質	塩分
281kcal	2.7g	0mg	0.4g	0.0g

大豆製品や緑黄色野菜がしっかりとれる和定食
炒り豆腐定食

▼この献立の栄養成分

エネルギー	食物繊維	コレステロール	脂質	塩分
565kcal	7.4g	132mg	15.9g	2.5g

- ヨーグルト
- 小松菜のレンジ蒸し
- 炒り豆腐
- レタスとトマトのみそ汁

献立 炒り豆腐定食

主菜
炒り豆腐

材料（1人分）

木綿豆腐	100g（⅓丁）
三つ葉	10g（7本）
わかめ（塩蔵）	20g
さくらえび	3g
ごま油	小さじ1
砂糖	小さじ¼
しょうゆ	小さじ⅔
溶き卵	25g（½個）

作り方 ［調理時間 **15分**（わかめをもどす時間除く）］

1 豆腐は水けをきる。三つ葉は2cm長さに切り、わかめは水でもどし、ひと口大に切る。

2 フライパンを中火で熱し、豆腐を入れてくずし、水けをとばしながら炒める。

3 ごま油、わかめ、三つ葉、さくらえびを加えて炒め、砂糖としょうゆで味を調え、溶き卵を加えて混ぜ合わせる。

エネルギー	食物繊維	コレステロール	脂質	塩分
164kcal	2.3g	114mg	10.9g	1.2g

副菜
小松菜のレンジ蒸し

材料（1人分）

小松菜	80g（2株）
ぽん酢しょうゆ	小さじ1

作り方 ［調理時間 **5分**］

1 小松菜は3cm長さに切り、耐熱性の器に入れる。

2 ぽん酢をかけて、ふんわりラップをし、電子レンジ（600W）で1分20秒加熱する。

エネルギー	食物繊維	コレステロール	脂質	塩分
14kcal	1.5g	0mg	0.1g	0.5g

主食
ごはん（1人分）　180g

エネルギー	食物繊維	コレステロール	脂質	塩分
281kcal	2.7g	0mg	0.4g	0.0g

その他
ヨーグルト（無糖）（1人分）　150g

エネルギー	食物繊維	コレステロール	脂質	塩分
84kcal	0.0g	18mg	4.2g	0.2g

汁もの
レタスとトマトのみそ汁

材料（1人分）

レタス	30g（1枚）
トマト	40g（¼個）
だし	¾カップ
みそ	小さじ⅔

作り方 ［調理時間 **10分**］

1 レタスは食べやすい大きさにちぎる。トマトはくし形に切る。

2 鍋にだしを煮立て、みそを溶き入れる。**1**を入れ、ひと煮立ちさせる。

エネルギー	食物繊維	コレステロール	脂質	塩分
22kcal	0.9g	0mg	0.3g	0.6g

減塩のコツ

トマトなどから出るうまみを生かす
市販の顆粒だしは塩分が高いものが多いので、かつおや昆布から濃いめにとっただしを使いましょう。またうまみ成分がたっぷり入っているトマトやきのこを具材に使えば、風味が補え、おいしさがアップします。

全粒粉のパンにすれば食物繊維がとれる
ピザトーストセット

▼この献立の栄養成分

エネルギー	食物繊維	コレステロール	脂質	塩分
507kcal	13.3g	112mg	16.6g	2.4g

りんご

かきたま野菜スープ

ピザトースト

献立　ピザトーストセット

主食
ピザトースト

材料（1人分）

食パン（全粒粉）	90g	（6枚切り1½枚）
玉ねぎ	20g	（¹⁄₁₀個）
ピーマン	15g	（½個）
ツナ水煮缶	30g	（小½缶）
ケチャップ	小さじ2	
ピザ用チーズ	20g	
オレガノ（好みで）	適宜	

作り方［調理時間15分］

1. パンは大きいほうを半分に切る。玉ねぎはせん切りに、ピーマンは輪切りにする。ツナ缶は汁けをきる。
2. パンにケチャップを塗り、ツナ、玉ねぎ、ピーマンをのせ、チーズをちらし、好みでオレガノをちらす。
3. オーブントースターで、チーズが溶けるまで8分くらい焼く。

エネルギー	食物繊維	コレステロール	脂質	塩分
338kcal	4.9g	27mg	10.3g	1.8g

汁もの
かきたま野菜スープ

材料（1人分）

玉ねぎ	20g	（¹⁄₁₀個）
にんじん	30g	（3cm）
ほうれん草	50g	（大2株）
じゃがいも	50g	（中½個）
オリーブ油	小さじ1	
コンソメスープの素(固形)	⅛個	
水	1¼カップ	
塩	少々	（0.3g）
こしょう	少々	
溶き卵	23g	（小½個）

作り方［調理時間25分］

1. 玉ねぎとにんじんはせん切りに、ほうれん草は3cm長さに切る。じゃがいもはひと口大に切り、水にさらす。
2. 鍋にオリーブ油を入れて中火で熱し、玉ねぎ、にんじんを炒める。油が回ったら、水、コンソメスープの素、水けをきったじゃがいもを入れて、ふたをする。沸騰後、弱火にして10分くらい煮る。
3. ほうれん草を加え、煮立ったら塩、こしょうで調味する。溶き卵を回し入れ、火を通す。

エネルギー	食物繊維	コレステロール	脂質	塩分
124kcal	6.9g	85mg	6.2g	0.6g

デザート
りんご（1人分）　80g（⅜個）

エネルギー	食物繊維	コレステロール	脂質	塩分
45kcal	1.5g	0mg	0.1g	0.0g

飲みものは緑茶やコーヒー、ウーロン茶がおすすめ

　脳卒中や冠動脈疾患を防ぐには、緑茶やコーヒー、ウーロン茶がよいことがわかっています。その理由は、これらに含まれる茶カテキンやカフェイン、ポリフェノールが関係しているといわれています。カフェインは脂肪の燃焼を助けてくれます。また、緑茶やウーロン茶に含まれる茶カテキン、コーヒーに含まれるクロロゲン酸などのポリフェノールには抗酸化作用があります。これらの成分が動脈硬化によいとされているのです。
　さらに、緑茶やウーロン茶は低エネルギーです。コーヒーもミルクや砂糖を入れなければカロリーはほとんどありません。食事には、こうした飲みものを合わせるのがよいでしょう。

忙しい朝でも、簡単に作れて栄養満点!
スクランブルエッグセット

▼この献立の栄養成分

エネルギー	食物繊維	コレステロール	脂質	塩分
563kcal	10.2g	213mg	24.2g	2.2g

キャベツとセロリのベーコン蒸し

牛乳

トースト

スクランブルエッグ

献立：スクランブルエッグセット

主菜
スクランブルエッグ

材料（1人分）

卵	50g	(1個)
A｜塩	少々	(0.6g)
｜こしょう	少々	
｜牛乳	大さじ1	
トマト	80g	(½個)
オリーブ油	小さじ1	

作り方 [調理時間 10分]

1. 卵は割りほぐし、Aと混ぜ合わせる。トマトは小さめの乱切りにする。
2. フライパンを中火で熱し、オリーブ油を入れ、トマトを炒める。トマトの角が少しくずれてきたら卵を加え、弱火にして炒り卵を作る。

エネルギー	食物繊維	コレステロール	脂質	塩分
132kcal	0.8g	187mg	9.2g	0.8g

副菜
キャベツとセロリのベーコン蒸し

材料（1人分）

キャベツ	60g	(1枚)
セロリ	50g	(½本)
ベーコン	8g	(½枚)
ガルバンゾー（ゆで）	30g	
こしょう	少々	

作り方 [調理時間 10分]

1. キャベツは短冊切りに、セロリは筋をとって斜め薄切りに、ベーコンはせん切りにする。
2. 耐熱性の器に1とガルバンゾーを入れ、こしょうをふって混ぜ合わせる。ラップをふんわりして、電子レンジ(600W)で2分加熱する。3分蒸らし、再度混ぜ合わせる。

エネルギー	食物繊維	コレステロール	脂質	塩分
95kcal	5.3g	4mg	3.8g	0.3g

主食
トースト

材料（1人分）

食パン（全粒粉）……… 90g（6枚切り1½枚）

作り方 [調理時間 5分]

1. 大きいほうを半分に切り、トーストする。

エネルギー	食物繊維	コレステロール	脂質	塩分
226kcal	4.1g	0mg	4.9g	0.9g

その他
牛乳 （1人分） 180ml

エネルギー	食物繊維	コレステロール	脂質	塩分
110kcal	0.0g	22mg	6.3g	0.2g

● くだものをプラスしてもよい

食べすぎを改善するには

3食規則正しく食べることが食べすぎを防ぐ

1日2食だとエネルギー摂取量が減って減量できそうですが、実際は逆。空腹が続くと体が脂肪をためようと反応して脂肪が蓄積されたり、食べすぎたりして肥満の原因にもなります。また、夜遅くにおなかいっぱい食べるような不規則な食生活も肥満の原因に。

夜遅く食べるため朝食が食べられないなら夕食を減らし、朝、自然とおなかがすいて食べられるようにします。食事の間隔が空きすぎるならおにぎりを1個先に食べておくなどの工夫を。そうすれば、朝・昼・夕3食規則正しくとる生活は簡単に取り戻せます。

"うす味計画"でおいしく減塩

高血圧や肥満を改善するには減塩食がよいことはわかっていても、「味けない」「食べる楽しみが減る」と思っている人も多いでしょう。しかし、ちょっとした工夫でおいしく塩分を減らすことができます。

1日8g未満を目標に減塩に取り組もう

理想的な塩分摂取量は1日6g未満ですが、急激に減らすと挫折しやすくなります。味覚は徐々に慣れるので、調理法などを工夫し、まずは1日8g未満を目標に塩分を減らし、少しずつ減塩に取り組むとよいでしょう。

調理の工夫

材料の表面に味をつける
同じ塩分量なら、味をしみこませるより表面に味をつけるほうが舌でしっかり味を感じられ、おいしく食べられる。

少量の油でコクを出す
煮ものや汁ものなどの仕上げに少量のごま油などをたらすと、コクが出て風味もよくなる。焼きものも表面に薄く油を塗って焼くとコクのある味わいに。

一皿に塩分を集中する
すべてうす味だとメリハリがなく、味けなく感じやすい。一皿にはある程度しっかり味つけし、残りの1〜2品で減塩すると、満足感を得やすい。

焦がし風味で香ばしく仕上げる
焼いたり揚げたりするときは、適度に焼き色をつけて香ばしさをプラスすると、風味だけでなく、食感もよくなり、満足感がアップする。

食材の工夫

酸味を利用する
酸味を加えると味のアクセントになって、うす味による物足りなさを感じにくくなる。酢やレモン汁、トマト、ヨーグルトなどを加えて味つけを。サラダに酸味のあるくだものを加えるのもよい。

香辛料や香味野菜を使う
香味野菜を加えると、香りや独特の食感が楽しめる。しそ、しょうが、山椒、ねぎ、パセリ、香菜(パクチー)などがおすすめ。ごまやこしょう、カレー粉、赤唐辛子、わさびなどの香辛料も味のアクセントに。

うまみの濃い食材を使う
削り節、昆布、しいたけ、干し貝柱などのうまみが濃い食材はだしが出て、うす味でも料理をおいしくする。昆布を水につけて一晩おくだけで、だしがとれる。

塩分1gの目安を知っておこう

塩分摂取量を管理するには、食材や調味料のおおよその塩分含有量を知っておくと便利です。調理の際や外食時に、食材の塩分量がわかれば、味つけを加減したり、食べる量を調節したりしやすくなります。塩分はしょうゆやみそなどの調味料、漬け物、梅干しといった塩辛い味つけのものだけでなく、麺類やパンなどの加工食品にも意外に多く含まれているため、塩分1gを含む目安量を覚えておくと便利です。

調味料
こいくちしょうゆ …6g(小さじ1)
淡色辛みそ ……8g(小さじ1強)
ケチャップ ………33g(大さじ2弱)
バター ……………53g

パン
食パン ……………80g(6枚切り1⅓枚)
ロールパン ………80g(中2個)
クロワッサン ……80g(2個)
フランスパン ……60g(2cm切り3枚)

魚介
塩さけ ……………56g(小⅔切れ)
あじの開き ………60g(中1枚)
たらこ(生) ………20g(⅕腹)
しらす干し(半乾燥) …15g(大さじ3)

漬け物・佃煮
梅干し ……………13g(2½粒)
たくあん …………30g(4切れ)
きゅうりの塩漬け …40g(5〜6切れ)
あさりの佃煮 ……14g

(数値は「日本食品標準成分表2020年版(八訂)」より)

Part 3

しっかりした味で食べごたえあり！
主菜レシピ

魚の煮つけ、えびチリ、チンジャオロースー、豆腐チゲなど、
よく食卓に上る定番メニューから、かつおの中華風さしみなど、
簡単でおいしく食べられるひと工夫メニューまで、
コレステロールや中性脂肪のコントロールに役立つ78レシピを紹介。
さまざまな料理に使えるたれ・ソース・ドレッシングも13レシピ紹介。

【INDEX】
- ●主菜で使うメイン食材の選び方…p.54〜55
- **魚介のおかず**…p.56〜75
- **肉のおかず**…p.76〜89
- **大豆のおかず**…p.90〜103
- **卵のおかず**…p.104〜107

コラム
- たれ・ソース・ドレッシング…p.108〜110

いわしの
トマトチーズ焼き
(p.71)

鶏むね肉の
レモンあんかけ炒め
(p.81)

豆腐チゲ (p.99)

巣ごもり卵焼き
(p.107)

主菜で使うメイン食材の選び方

コレステロールや中性脂肪のコントロールでは、主菜の食材選びが大切です。脂質はとってはいけない悪者ではありません。良質の脂質を賢くとりましょう。

1 飽和脂肪酸よりも不飽和脂肪酸をとる

脂肪酸とは脂質を構成する主成分のこと。牛肉や豚肉の脂身、鶏肉の皮や脂身、バターやチーズなどの乳製品には飽和脂肪酸と呼ばれる脂質が多く含まれ、とりすぎるとコレステロールや中性脂肪が増えて動脈硬化を促します。

一方、不飽和脂肪酸は血液中のコレステロールや中性脂肪を減らす働きがあります。不飽和脂肪酸は魚類、大豆、豆腐などの大豆製品に多く含まれているので、積極的にとりましょう。

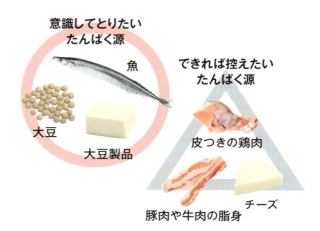

意識してとりたいたんぱく源：魚、大豆、大豆製品
できれば控えたいたんぱく源：皮つきの鶏肉、豚肉や牛肉の脂身、チーズ

2 n-3系不飽和脂肪酸が多い青背魚を食べる

不飽和脂肪酸のなかでもn-3系不飽和脂肪酸は、特にコレステロールや中性脂肪を減らす働きにすぐれ、心筋梗塞のリスクを下げる効果があります。ただ、体内で合成することができないため、食品からとる必要が。

n-3系不飽和脂肪酸には、EPA（エイコサペンタエン酸）やDHA（ドコサヘキサエン酸）などがあり、あじやさば、まぐろといった青背魚に多く含まれています。

▶主な青背魚のEPA・DHA含有量

	あじ	いわし	さんま
EPA	300mg	780mg	1500mg
DHA	570mg	870mg	2200mg

	さば	ぶり	まぐろ（脂身）
EPA	690mg	940mg	320mg
DHA	970mg	1700mg	1300mg

（数値は100gあたり。「日本食品標準成分表2020年版（八訂）」より）

check! 魚の内臓、魚卵は高コレステロール。とりすぎに注意しましょう

魚介類は基本的におすすめなのですが、中には控えたいものも。イクラやあん肝、かずのこ、うに、うなぎといった食材にはコレステロールがとても多く含まれているので、ハレの日などたまに食べる程度にします。また、食べすぎには注意しましょう。

▶100gあたりのコレステロール量

イクラ	あん肝	かずのこ
480mg	560mg	370mg

（「日本食品標準成分表2020年版（八訂）」より）

3 肉は脂身の少ない部位を選ぶ

肉を食べるときは、部位を選び、調理法を工夫するようにしましょう。

できるだけ赤身の肉を選び、脂身や鶏肉の皮は調理する際にとり除くのがよいでしょう。

調理法も、とんかつやから揚げなどの揚げものがNGなわけではありませんが、ステーキやしゃぶしゃぶなど、焼いたりゆでたりして余分な脂を落としたもののほうがおすすめ。脂身が多い部位や霜降り肉、レバーやモツ類も脂質が多いので避けたほうがよいでしょう。

鶏
牛肉や豚肉よりも脂質が少なく、おすすめ。皮をとるとよりヘルシーに。

鶏ささみ
飽和脂肪酸	0.17g
コレステロール	66mg

鶏むね肉
	皮つき ➡ 皮なし
飽和脂肪酸	1.53g / 0.45g
コレステロール	73mg / 72mg

牛・豚
霜降りやロース、ばら肉、カルビよりも脂質が少ないヒレやもも肉がおすすめ。

牛ヒレ肉
飽和脂肪酸	4.35g
コレステロール	60mg

牛もも肉
	脂身あり ➡ 脂身なし
飽和脂肪酸	5.11g / 1.56g
コレステロール	69mg / 65mg

豚ヒレ肉
飽和脂肪酸	1.29g
コレステロール	59mg

豚もも肉
	脂身あり ➡ 脂身なし
飽和脂肪酸	3.59g / 1.12g
コレステロール	67mg / 66mg

（数値は100gあたり。「日本食品標準成分表2020年版（八訂）」より）

4 1日3食のうち1食は大豆製品を活用する

大豆をはじめ、豆腐、納豆、豆乳、高野豆腐などの大豆製品は、肉類と同じくたんぱく質が豊富で、しかもコレステロールがほぼ含まれていません。さらにコレステロール値を下げる作用もあり、豊富な食物繊維はコレステロールの排出を促す作用も期待できます。また、大豆にはサポニンやイソフラボンといったポリフェノールも含まれ、動脈硬化予防に役立ちます。

1日3食のおかずを魚・肉・大豆製品でローテーションにすると栄養バランスがとりやすく、偏りを防げる。

▶魚・肉・大豆製品をローテーションに

朝：豆とえびの豆乳シチュー →p.90
昼：鶏むね肉のレモンあんかけ炒め →p.81
夜：ぶりとねぎの酢みそかけ →p.60

Check!

LDLコレステロール値が高い人は、卵料理はほどほどに

コレステロール値が高い人に気をつけてほしいのが卵。栄養価が高く、すぐれた完全食品なので食べてはいけないわけではありませんが、LDLコレステロール値が高い人は食べすぎないようにします。卵料理を毎日食べるのは、できるだけ避けましょう。

魚の脂に含まれるEPA（エイコサペンタエン酸）には、コレステロール値を下げる働きがあります。特に青背魚に多く含まれているので、積極的に食べましょう。

魚介のおかず

トマトとしょうゆの相性抜群!
さばのトマトしょうゆ煮

材料（1人分）

- さば ……………… 80g（1切れ）
  - 塩 ……………… 少々（0.5g）
  - こしょう ……… 少々
- トマト …………… 100g（½個）
- ピーマン ………… 30g（1個）
- 玉ねぎ …………… 25g（⅛個）
- にんにく（薄切り）…… 1枚
- オリーブ油 ……… 小さじ1
- A
  - 酒 ……………… 小さじ2
  - 水 ……………… ¼カップ
  - しょうゆ ……… 小さじ1
  - ローリエ ……… ¼枚

作り方［調理時間20分］

1. さばは数か所に切れ目を入れて塩、こしょうをふる。
2. トマトとピーマンは乱切りに、玉ねぎは小さめの角切りに、にんにくはみじん切りにする。
3. 小さめのフライパンを中火で熱し、オリーブ油を入れて、にんにくと玉ねぎを炒める。にんにくの香りが出たら、1、トマト、ピーマン、Aを入れてふたをする。沸騰したら、弱火で7〜8分煮る。

エネルギー	食物繊維	コレステロール	脂質	塩分
254kcal	2.1g	49mg	14.3g	1.6g

コレステロール値を下げるコツ

魚の煮汁まで残さずいただく
さばなど青背魚に多く含まれるEPAやDHAは、食品からとる必要のある不飽和脂肪酸のひとつで、コレステロール値や中性脂肪値を改善します。脂は煮汁にも流れ出るので、残さずいただきましょう。

主菜 | 魚介のおかず（さば）

スパイシーな香りとレモンの酸味でさっぱりと
さばのホイル焼き

材料（1人分）
さば	80g	（1切れ）
塩	小さじ⅙	
玉ねぎ	30g	（⅙個）
しめじ	40g	（¼袋強）
オリーブ油	小さじ¼	
カレー粉	少々（0.3g）	
レモン（薄い輪切り）	1枚	

作り方［調理時間20分］
1. さばは切れ目を入れ、塩をふる。玉ねぎはせん切りにし、しめじは小房に分ける。
2. アルミホイルの真ん中にオリーブ油を塗り、玉ねぎ、さばの順にのせ、カレー粉をふる。レモンをのせ、しめじを添えてしっかり包む。
3. オーブントースターで15分焼く。

エネルギー	食物繊維	コレステロール	脂質	塩分
198kcal	2.0g	49mg	11.3g	1.2g

ねぎみそ味がしっかりさばに入っている
さばのねぎみそ煮

材料（1人分）
さば	80g	（1切れ）
長ねぎ	30g	（約⅓本）
A 酒	大さじ1	
みそ	小さじ1½	
白すりごま	小さじ1	
砂糖	小さじ⅓	
水	⅓カップ強	

作り方［調理時間20分］
1. さばは切れ目を入れて熱湯をかける。長ねぎはみじん切りにする。
2. 小さめのフライパンにAを入れて中火にかけ、混ぜながら煮立てる。
3. 2に長ねぎ、さばを入れてアルミホイルで落としぶたをする。沸騰したら弱火で10分くらい煮る。

エネルギー	食物繊維	コレステロール	脂質	塩分
234kcal	1.6g	49mg	12.3g	1.4g

ゆずこしょうのピリ辛がポイント
焼きさば、長ねぎの ゆずこしょう南蛮漬け

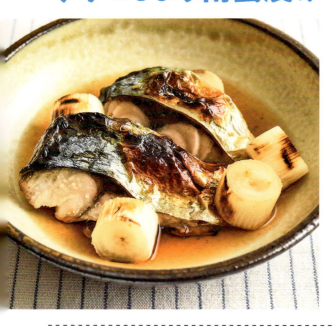

材料（1人分）
- さば ………………… 80g（1切れ）
  - 塩 ………………… 少々（0.5g）
- 長ねぎ ……………… 20g（4cm）
- A
  - だし ……………… 大さじ1
  - みりん …………… 小さじ2
  - しょうゆ ………… 小さじ¾
  - 酢 ………………… 小さじ1
- ゆずこしょう ……… 少々

作り方［調理時間15分（漬ける時間除く）］

1. さばは半分に切って塩をふり、長ねぎとともに魚焼きグリルで8～9分焼く。
2. Aを耐熱性の器に入れて混ぜ、ラップをせずに電子レンジ（600W）で30秒加熱し、ゆずこしょうと混ぜ合わせる。
3. 1のねぎは1.5cmくらいの長さに切り、さばとともに10分程度2に漬ける。

エネルギー	食物繊維	コレステロール	脂質	塩分
211kcal	0.5g	49mg	10.2g	1.5g

熱いうちにたれをからめるとしっかり味がつく
さばの梅照り焼き

材料（1人分）
- さば ………………… 80g（1切れ）
  - 小麦粉 …………… 少々
- ブロッコリー ……… 20g（大1房）
- オリーブ油 ………… 小さじ½
- A
  - 梅干し（18％塩分）… 5g（½個）
  - みりん …………… 小さじ2
  - しょうゆ ………… 小さじ½

作り方［調理時間15分］

1. さばは3枚に切り分ける。ブロッコリーは1cm厚さに切る。Aの梅干しは粗くたたく。
2. フライパンを中火で熱してオリーブ油をひく。薄く小麦粉をまぶしたさばを入れ、ブロッコリーも端に加えて両面ともこんがり焼く。
3. ブロッコリーは取り出して火を止める。Aを混ぜ合わせて2のフライパンに加え、余熱でからめる。
4. 器にさばとブロッコリーを盛る。

エネルギー	食物繊維	コレステロール	脂質	塩分
235kcal	1.2g	49mg	12.3g	1.5g

主菜 | 魚介のおかず（さば・かじき）

魚は棒状に切ってボリュームを出す
かじきとズッキーニのガーリック炒め

材料（1人分）

めかじき ………… 90g（1切れ）
　塩 ……………… 少々（0.6g）
　こしょう ……… 少々
ズッキーニ ……… 60g（⅓本）
にんにく ………… ¼かけ
オリーブ油 ……… 小さじ1
塩 ………………… 少々（0.5g）
こしょう ………… 少々

作り方［調理時間 15分］

1. めかじきは棒状に切り、塩、こしょうをふる。ズッキーニは3～4cmの棒状に切り、にんにくはみじん切りにする。
2. フライパンを中火で熱し、オリーブ油を入れる。めかじき、ズッキーニを加えて焼き、火を通す。にんにくを加えて炒め合わせ、塩、こしょうで味を調える。

エネルギー	食物繊維	コレステロール	脂質	塩分
174kcal	1.0g	65mg	10.0g	1.3g

香味だれに漬けこんで味をいきわたらせる
かじきの韓国風焼き

材料（1人分）

めかじき ………… 90g（1切れ）
A　にんにく（みじん切り）‥少々
　　長ねぎ（みじん切り）‥小さじ¼
　　しょうゆ ……… 小さじ1
　　ごま油 ………… 小さじ¼
　　粉唐辛子 ……… 少々
　　砂糖 …………… ひとつまみ
ピーマン ………… 15g（½個）

作り方［調理時間 15分（漬ける時間除く）］

1. ビニール袋にめかじきとAを入れて軽く混ぜ、空気を抜くように袋の口を閉じて1時間くらい漬ける。
2. 魚焼きグリルで1とピーマンを7～8分焼く。
3. ピーマンは半分に切り、めかじきとともに器に盛る。

エネルギー	食物繊維	コレステロール	脂質	塩分
144kcal	0.4g	65mg	6.9g	1.1g

コレステロール低下に効果のある成分がとれる
ぶりとねぎの酢みそかけ

材料（1人分）

ぶり（さしみ用さく）	……	80g
小ねぎ	…………	16g（4本）
A みそ	…………	小さじ1¼
酢	…………	小さじ1
砂糖	…………	小さじ⅓
練りからし	………	少々

エネルギー	食物繊維	コレステロール	脂質	塩分
204kcal	0.8g	58mg	11.0g	1.0g

作り方 ［調理時間10分］

1. ぶりは薄切りに、小ねぎは斜め薄切りにし、器に盛り合わせる。
2. Aは耐熱性の器に入れて混ぜ、ラップをせずに電子レンジ(600W)で20秒加熱する。よく混ぜ合わせ、冷めたら**1**にかける。

コレステロール値を下げるコツ

おつまみならさしみがベスト

アルコールは、たんぱく質の多いつまみと一緒なら適量飲んでもOK。つまみには、動脈硬化を抑えたり、コレステロール値を下げたりする効果があるEPAやDHAが豊富な、ぶりなどの青背魚のさしみがおすすめです。

主菜 魚介のおかず（ぶり）

EPAやDHAが豊富なぶりを大根おろしとともにいただく

ぶりのおろし煮

材料（1人分）

ぶり	80g（1切れ）
大根	80g（2cm）
わかめ（塩蔵）	10g
オリーブ油	小さじ½
A 水	¼カップ
みりん	小さじ1
しょうゆ	小さじ1⅓
酒	小さじ2
酢	小さじ1

エネルギー	食物繊維	コレステロール	脂質	塩分
243kcal	1.4g	58mg	12.5g	1.5g

作り方 [調理時間20分（わかめをもどす時間除く）]

1. 大根はすりおろして水けをきる。わかめは洗い、水でかためにもどし、ひと口大に切る。
2. フライパンを中火で熱し、オリーブ油を入れ、ぶりを入れて両面焼く。Aを加えて、アルミホイルで落としぶたをする。沸騰後、弱火で7～8分煮る。酢、わかめ、大根おろしを入れ、ひと煮立ちさせる。

コレステロール値を下げるコツ

青背魚は脂ごと食べる

青背魚の脂に含まれるEPAやDHAをまるごととるには、新鮮な魚を生で食べるか煮つけにするのがおすすめ。おろし煮にすれば、煮汁に流れ出た脂まで、大根おろしとともに、しっかりとることができます。

キュッとしぼったすだちがさんまに合う
さんまの塩焼き きのこおろし

材料（1人分）

- さんま ……………… 150g（小1尾）
-   塩 ………………… 少々（0.5g）
- しいたけ …………… 20g（1枚）
- 大根 ………………… 50g（1.3cm）
- すだち ……………… ½個
- しょうゆ …………… 小さじ½

作り方 [調理時間 15分]

1. さんまは塩をふり、しいたけとともに魚焼きグリルで9分くらい焼く。
2. しいたけは軸を切って半分に切り、さらに薄切りにする。大根はすりおろして水けをきり、半量のすだちをしぼってしいたけと混ぜる。
3. 器に半分に切ったさんまを盛り、2と残りのすだちを添える。食べる直前に、大根おろしにしょうゆをかける。

エネルギー	食物繊維	コレステロール	脂質	塩分
294kcal	1.5g	66mg	22.1g	1.3g

実山椒の塩漬けを使ったピリ辛の煮もの
さんまとごぼうの 有馬煮

材料（1人分）

- さんま ……………… 120g（⅔尾）
- ごぼう ……………… 40g（¼本）
- A 水 ………………… ½カップ
-   酒 ………………… 大さじ2
-   砂糖 ……………… 小さじ⅓
-   しょうゆ ………… 小さじ1
- 実山椒の塩漬け ……… 小さじ1

作り方 [調理時間 20分]

1. さんまは3等分に切り、頭と内臓をとって洗い、水けをふく。ごぼうは縦半分に切り、斜め薄切りにし、水にさっとさらす。
2. 鍋にA、ごぼうを入れて中火にかけ、煮立ったらさんまと実山椒を入れる。ふたをし、沸騰後、弱火で7〜8分煮る。

エネルギー	食物繊維	コレステロール	脂質	塩分
288kcal	2.3g	53mg	17.7g	1.3g

主菜 | 魚介のおかず（さんま）

ごま油の香り豊かなたれをかけて
さんまのねぎ中華蒸し

材料（1人分）
さんま	150g（小1尾）
酒	小さじ1
長ねぎ	20g（4cm）
しょうが（薄切り）	2枚
A ごま油	小さじ½
豆板醤	少々
しょうゆ	小さじ1

エネルギー	食物繊維	コレステロール	脂質	塩分
314kcal	0.6g	66mg	24.0g	1.3g

作り方［調理時間10分］

1 さんまは3等分に切り、頭と内臓をとって洗い、水けをふく。長ねぎは斜め薄切りに、しょうがはせん切りにする。

2 耐熱性の器にさんまを入れて酒をかけ、ねぎとしょうがをのせて、ふんわりラップをかけ、電子レンジ（600W）で2分30秒加熱する。

3 Aを混ぜ合わせてたれを作り、2にかける。

減塩のコツ

香味野菜を使って風味をアップ
長ねぎやしょうがなどの香味野菜を使えば、味のアクセントになり、減塩しても満足感を損ないません。ハーブや香辛料も同じ。上手に使いおいしくいただきましょう。

火を使わない簡単中華
かつおの中華風さしみ

材料（1人分）

かつお（さしみ用さく）	80g
春菊の葉の部分	15g（2本分）
長ねぎ	15g（3cm）
A しょうゆ	小さじ1½
酢	小さじ½
ごま油	小さじ½
赤唐辛子（輪切り）	¼本分
にんにく（みじん切り）	少々
白いりごま	少々

作り方［調理時間10分］

1. 春菊の葉は食べやすい大きさに切る。長ねぎは芯をとってせん切りにし、水にさらして水けをきり、春菊と混ぜ合わせる。
2. 器に1をのせ、薄切りにしたかつおを盛る。混ぜ合わせたAを回しかけ、白ごまをふりかける。

エネルギー	食物繊維	コレステロール	脂質	塩分
125kcal	0.9g	48mg	2.6g	1.4g

コレステロール値を下げるコツ

「戻りがつお」のほうがEPAやDHAが多い

かつおの旬は、春と秋の2回。春に水揚げされたものは「初がつお」といい、赤身が多くてさっぱりしています。秋に水揚げされたものは「戻りがつお」といい、脂がのっているといわれています。コレステロール値を下げるEPAやDHAはどちらにも多いのですが、初がつおより戻りがつおのほうが多く含まれています。

主菜 | 魚介のおかず（かつお・さけ）

漬けこむことでしっかり味がつく
さけのゆずこしょうみりん漬け

材料（1人分）

生さけ	………………	80g（1切れ）
A ゆずこしょう	……	少々
みりん	…………	小さじ1
塩	………………	小さじ⅙
しめじ	………………	30g（⅙袋）

作り方［調理時間 **10分**（漬ける時間除く）］

1. さけとAをビニール袋に入れ、空気を抜くように袋の口を閉じて1時間漬ける。
2. しめじはほぐし、さけとともに魚焼きグリルに入れ、8分くらい焼く。しめじは火が通ったら途中でとり出す。

エネルギー	食物繊維	コレステロール	脂質	塩分
196kcal	1.1g	58mg	11.6g	1.2g

さけとねぎ、しいたけのうまみが凝縮された一品
さけの梅みそホイル焼き

材料（1人分）

生さけ	………………	80g（1切れ）
長ねぎ	………………	25g（¼本）
しいたけ	……………	20g（1枚）
A 梅干し（18%塩分）	…	3g（⅓個）
みそ	………………	小さじ1
みりん	……………	小さじ1
オリーブ油	…………	少々

作り方［調理時間 **20分**］

1. 長ねぎは斜め薄切りに、しいたけは軸を切って薄切りにする。Aの梅干しは細かくたたく。
2. アルミホイルの真ん中にオリーブ油を塗り、長ねぎとしいたけを広げ、その上にさけをのせる。Aを混ぜ合わせ、さけに塗る。
3. アルミホイルをしっかり閉じ、オーブントースターで15分焼く。

エネルギー	食物繊維	コレステロール	脂質	塩分
219kcal	2.0g	58mg	12.4g	1.3g

野菜たっぷりのソースをかけて
あじのさしみ
ラビゴットソース

材料（1人分）

あじ（さしみ用）	60g
塩	少々（0.5g）
こしょう	少々
トマト	40g（¼個）
玉ねぎ	10g（1/20個）
きゅうり	15g（⅙本）
レモン（薄切り）	1枚
A　酢	小さじ1
オリーブ油	小さじ1
塩	少々（0.5g）
こしょう	少々

エネルギー	食物繊維	コレステロール	脂質	塩分
119kcal	1.0g	34mg	5.8g	1.2g

作り方［調理時間5分］

1. トマト、玉ねぎ、きゅうりは小さめの角切りに、レモンはいちょう切りにし、Aと混ぜ合わせる。
2. あじは薄切りにして塩、こしょうをふる。
3. あじと1のソースを合わせて器に盛る。

昆布とあじのうまみが融合したピリ辛煮
あじの酢じょうゆ煮

材料（1人分）

あじ	150g（1尾）
パプリカ（黄）	23g（⅛個）
しょうが（薄切り）	1枚
水	⅓カップ
だし昆布	3cm
A　酒	大さじ1
酢	大さじ1
しょうゆ	小さじ1
砂糖	小さじ⅓
赤唐辛子	¼本

作り方［調理時間30分］

1. あじはゼイゴとえら、頭と内臓をとり、よく洗って水けをふき、3等分に切る。しょうがはせん切りに、パプリカは乱切りにする。
2. 鍋に水、だし昆布、Aを中火で煮立て、あじ、しょうが、赤唐辛子、パプリカを入れる。アルミホイルで落としぶたをし、弱火で10分ほど煮る。
3. だし昆布以外を器に盛る。だし昆布はせん切りにして盛り合わせる。

エネルギー	食物繊維	コレステロール	脂質	塩分
154kcal	1.3g	66mg	3.5g	1.4g

主菜 | 魚介のおかず（あじ）

栄養分をたっぷり含んだスープごと食べよう
あじのアクアパッツァ

材料（1人分）

あじ	150g（1尾）
こしょう	少々
あさり（砂抜きする）	70g（4粒）
ミニトマト	45g（3個）
にんにく	¼かけ
オリーブ油	小さじ1
白ワイン	大さじ1
水	⅓カップ
塩	少々（0.6g）
こしょう・タイム	各少々
レモン（半月薄切り）	1枚

作り方［調理時間20分］

1. あじはゼイゴとえら、頭、内臓をとり、よく洗って水けをふき、こしょうをふる。
2. あさりは殻をこすり合わせてよく洗う。ミニトマトはへたをとり、にんにくは厚みを半分に切る。
3. フライパンにオリーブ油とにんにくを入れて中火で熱し、あじを加えて両面焼く。ワインを加えて煮立て、水、あさり、ミニトマト、塩、こしょう、タイムを加えてふたをする。沸騰したら弱火で10分くらい煮る。
4. 器に盛り、レモンを添える。

エネルギー	食物繊維	コレステロール	脂質	塩分
181kcal	0.8g	77mg	7.4g	1.5g

ハーブとにんにく、レモンも一緒に焼いて香りをつける
あじとじゃがいものハーブ焼き

材料（1人分）

あじ	150g（1尾）
塩	小さじ⅙
こしょう	少々
じゃがいも	100g（中1個）
にんにく	¼かけ
オリーブ油	小さじ1
ローズマリー・タイム	各少々
レモン（くし形切り）	1切れ

エネルギー	食物繊維	コレステロール	脂質	塩分
205kcal	8.6g	66mg	7.4g	1.3g

作り方　[調理時間 15分（冷ます時間除く）]

1. あじはゼイゴとえら、頭、内臓をとってよく洗い、水けをふく。2等分に切り、塩、こしょうをふる。

2. じゃがいもはラップで包み、電子レンジ（600W）で2分加熱したあと冷まし、くし形に切る。にんにくは厚みを半分に切る。

3. アルミホイルにオリーブ油を半量塗り、あじ、じゃがいも、にんにく、ローズマリー、タイム、レモンをのせ、残りのオリーブ油をあじにかける。ホイルの口をしっかり閉じて、魚焼きグリルで8分焼く（またはオーブントースターで10分焼く）。

主菜 | 魚介のおかず（あじ・さわら）

やさしい味の煮魚はごはんによく合う
さわらの煮つけ

材料（1人分）

- さわら ……………… 90g（1切れ）
- しょうが（薄切り）…… 2枚
- 小松菜 ……………… 50g（大1株）
- A
  - 酒 ………………… 大さじ1
  - 水 ………………… 1/3カップ
  - みりん …………… 小さじ1
  - しょうゆ ………… 小さじ1 1/2

作り方 [調理時間15分]

1. しょうがはせん切りに、小松菜はかためにゆで、3cm長さに切る。
2. 鍋にAを中火で煮立て、しょうがとさわらを入れる。アルミホイルで落としぶたをし、沸騰したら弱火で7～8分煮る。空いているところに小松菜を入れ、さらに2～3分煮る。

エネルギー	食物繊維	コレステロール	脂質	塩分
190kcal	1.1g	54mg	7.6g	1.5g

さっぱりした身とトマトソースの相性抜群！
さわらのソテー フレッシュトマトソースがけ

材料（1人分）

- さわら ……………… 90g（1切れ）
  - 塩 ………………… 少々（0.5g）
  - こしょう ………… 少々
- オリーブ油 ………… 小さじ1/2
- トマト ……………… 30g（1/6個）
- A
  - 玉ねぎ（みじん切り）… 小さじ1
  - レモン汁 ………… 小さじ1
  - 塩 ………………… 少々（0.5g）
  - カレー粉 ………… ひとつまみ
  - オリーブ油 ……… 小さじ1/2
- イタリアンパセリ（あれば）… 適宜

作り方 [調理時間15分]

1. さわらは塩、こしょうをふる。
2. フライパンを中火で熱し、オリーブ油を入れる。さわらの皮目を下にして入れ、中火～弱火で4～5分焼き、裏返して同様に焼く。
3. トマトは小さめの角切りにし、Aと混ぜ合わせる。
4. 器に2を盛り、3のソースをかける。あればイタリアンパセリを添える。

エネルギー	食物繊維	コレステロール	脂質	塩分
191kcal	0.5g	54mg	11.6g	1.3g

表面にたれをからめてしっかり味に
いわしのごまかば焼き

材料（1人分）
いわし	……………	正味80g（小2尾）
しょうが汁	………	小さじ¼
小麦粉	…………	少々
サラダ油	…………	小さじ1
A　しょうゆ	………	小さじ1
酒	……………	小さじ1
砂糖	……………	小さじ½
白いりごま	…………	小さじ¼

作り方［調理時間20分］

1 いわしは鱗と頭、内臓をとってよく洗い、水けをふいて手開きし、腹骨をとり除く。しょうが汁をかけておく。

2 フライパンを中火で熱してサラダ油をひき、小麦粉を薄くまぶしたいわしを、皮を下にして入れる。中火できつね色になるまで両面を焼き、火を止める。混ぜ合わせておいたAを加えて余熱でとろりとさせてからめ、ごまをふりかける。

エネルギー	食物繊維	コレステロール	脂質	塩分
190kcal	0.2g	54mg	10.2g	1.0g

しょうがの香りがさわやか
いわしのしょうが酢煮

材料（1人分）
いわし	……………	正味80g（小2尾）
しょうが	…………	1かけ
A　だし昆布	………	3cm
水	……………	⅓カップ
酒	……………	大さじ1
酢	……………	大さじ2
塩	……………	小さじ⅙
みりん	…………	大さじ½
赤唐辛子	………	¼本

作り方［調理時間20分］

1 いわしは鱗と頭、内臓をとってよく洗い、水けをふく。しょうがは薄切りにする。

2 鍋にAを入れて中火で煮立て、いわしとしょうがを加える。アルミホイルで落としぶたをし、弱火で10分くらい煮る。

エネルギー	食物繊維	コレステロール	脂質	塩分
186kcal	0.2g	54mg	5.9g	1.3g

主菜 | 魚介のおかず（いわし）

いわしがイタリアンに大変身!
いわしのトマトチーズ焼き

材料（1人分）

いわし	正味80g（小2尾）
塩	少々（0.8g）
こしょう	少々
ミニトマト	45g（3個）
オリーブ油	小さじ½
にんにく（みじん切り）	少々
パルメザンチーズ	小さじ1

エネルギー	食物繊維	コレステロール	脂質	塩分
165kcal	0.6g	56mg	8.4g	1.0g

作り方 [調理時間20分]

1 いわしは鱗と頭、内臓をとってよく洗い、水けをふいて手開きし、腹骨をとり除き、塩、こしょうをふる。

2 ミニトマトは、輪切りにする。

3 オーブントースターの天板にアルミホイルをしき、オリーブ油少々を塗り、1をのせる。にんにくをちらし、2をのせ、パルメザンチーズをふりかける。残りのオリーブ油をかけて10分焼く。

コレステロール値を下げるコツ

不飽和脂肪酸を多く含む油を使う

油は上手に選びましょう。おすすめはオリーブ油や菜種油など不飽和脂肪酸を多く含むもの。調理にこれらの油を使えば、必要以上に脂質をカットすることなく、おいしく食べられ、コレステロール値や中性脂肪値を下げられます。

栄養分が溶けこんだスープまで残さず召し上がれ

いわしとじゃがいものカレースープ煮

材料（1人分）

いわし	正味80g（小2尾）
玉ねぎ	30g（⅙個）
じゃがいも	100g（中1個）
オリーブ油	小さじ½
白ワイン	大さじ1
水	¾カップ
カレー粉	小さじ¼
コンソメスープの素（固形）	⅛個
ローリエ	¼枚
塩	少々（0.6g）
こしょう	少々

エネルギー	食物繊維	コレステロール	脂質	塩分
226kcal	9.5g	54mg	7.9g	1.0g

作り方［調理時間20分］

1. いわしは鱗と頭、内臓をとってよく洗い、水けをふいて2等分にする。玉ねぎは薄切り、じゃがいもは輪切りにする。

2. 鍋にオリーブ油を入れて中火で熱し、玉ねぎを炒める。しんなりしたら白ワインを入れて煮立て、水とじゃがいもを入れ、さらに煮立てる。

3. 煮立ったらいわし、カレー粉、コンソメスープの素、ローリエを入れ、ふたをする。沸騰したら弱火で10分くらい煮る。じゃがいもがやわらかくなったら塩、こしょうで味を調える。

主菜｜魚介のおかず（いわし・ほたて）

しっかり味の"あん"とからめて食べる
ほたてとチンゲン菜のあんかけ炒め

材料（1人分）
ほたて貝柱	100g	（5～6個）
チンゲン菜	50g	（½株弱）
しょうが（薄切り）	1枚	
ごま油	小さじ1	
A だし	¼カップ	
酒	小さじ2	
しょうゆ	小さじ1	
B 片栗粉	小さじ⅔	
水	小さじ1½	

作り方［調理時間20分］

1. ほたては厚みを半分に切る。チンゲン菜は1枚ずつ葉を外し、3cmくらいの長さに切り、しょうがはせん切りにする。

2. フライパンを中火で熱してごま油を入れ、ほたてとチンゲン菜の軸の部分を炒め、火が通ったら葉を加えさっと炒める。Aを加えて煮立ったら、Bの水溶き片栗粉でとろみをつけ、ひと煮立ちさせる。

エネルギー	食物繊維	コレステロール	脂質	塩分
145kcal	0.6g	35mg	4.1g	1.3g

トマトの酸味とうまみがほたての味わいを引き立てる
ほたてとカリフラワーのトマト煮

材料（1人分）
ほたて貝柱	100g	（5～6個）
塩	少々	（0.3g）
こしょう	少々	
カリフラワー	50g	（⅙株）
トマト	100g	（大½個）
にんにく（薄切り）	1枚	
オリーブ油	小さじ1	
A 水	¼カップ	
ケチャップ	小さじ1	
塩	少々	（0.5g）
こしょう	少々	

作り方［調理時間15分］

1. ほたては厚みを半分に切り、塩、こしょうをふる。カリフラワーは小房に分けてゆでる。トマトは乱切りにする。

2. フライパンを中火で熱しオリーブ油を入れ、ほたてを入れて焼く。にんにくとトマトを加えて炒め、A、カリフラワーを入れる。混ぜながら4～5分煮る。

エネルギー	食物繊維	コレステロール	脂質	塩分
158kcal	2.6g	35mg	4.2g	1.3g

油を使わずマヨネーズで炒めるだけ
えびとキャベツのしそマヨ炒め

材料（1人分）
えび	100g（5尾）
塩	少々（0.8g）
こしょう	少々
キャベツ	60g（1枚）
しそ	4枚
マヨネーズ	小さじ1½

作り方［調理時間15分］
1. えびは背ワタをとって殻をむき、片栗粉少々（分量外）をまぶして水で洗い流し、水けをふき、塩、こしょうをふる。キャベツはざく切り、しそは粗みじん切りにする。
2. フライパンにマヨネーズを入れ、中火にかけて溶かす。えびを入れて炒め、キャベツを加えさらに炒める。しそを加え、さっと炒め合わせる。

エネルギー	食物繊維	コレステロール	脂質	塩分
119kcal	1.4g	136mg	4.5g	1.3g

豆板醤を使って本格的な中華料理の味に
えびとセロリのチリソース炒め

材料（1人分）
えび	100g（5尾）
酒	小さじ½
片栗粉	小さじ½
セロリ（葉も含む）	30g（約⅓本）
にんにく（薄切り）	1枚
長ねぎ	15g（3cm）
しょうが	薄切り1枚
豆板醤	小さじ⅙
A｜水	大さじ1
ケチャップ	小さじ2
しょうゆ	小さじ½
こしょう	少々
ごま油	小さじ1

作り方［調理時間20分］
1. えびは殻をむいて背開きし、背ワタをとり、片栗粉少々（分量外）をまぶして水で洗い流し、水けをふき、酒と片栗粉をもみこむ。
2. セロリは筋をとり、斜め薄切りにする。にんにく、長ねぎ、しょうがはみじん切りにする。
3. フライパンを中火で熱し、ごま油を入れてえびを炒める。セロリ、にんにく、しょうが、長ねぎ、豆板醤を加えさらに炒め、Aを加えて炒め合わせる。

エネルギー	食物繊維	コレステロール	脂質	塩分
133kcal	1.1g	128mg	4.1g	1.3g

主菜 | 魚介のおかず（えび）

牛乳のコクと玉ねぎの甘みが味の決め手
えびとアスパラガスのクリーム煮

材料（1人分）

えび	100g（5尾）
塩	少々（0.5g）
こしょう	少々
アスパラガス	45g（3本）
玉ねぎ	30g（1/6個）
オリーブ油	小さじ1/2
小麦粉	小さじ1 1/2
牛乳	1/2カップ
塩・こしょう	各少々
バター	小さじ1/2

エネルギー	食物繊維	コレステロール	脂質	塩分
196kcal	1.4g	145mg	7.4g	1.3g

作り方［調理時間20分］

1. えびは背ワタをとって殻をむき、片栗粉少々（分量外）をまぶして水で洗い流し、水けをふき、塩、こしょうをふる。

2. アスパラガスはかたい部分を切り、ハカマをそいで3～4cm長さに切る。玉ねぎはせん切りにする。

3. フライパンを中火で熱し、オリーブ油を入れ、玉ねぎを炒める。しんなりしたらアスパラガスを加えてさらに炒める。1を加えてさっと炒め、小麦粉を加え、焦がさないように弱火で炒める。牛乳を加え混ぜ、とろみがつき全体が煮立つまで煮る。仕上げに塩、こしょうとバターを加える。

肉はLDLコレステロールや中性脂肪を増やす飽和脂肪酸が多い食品の代表格。牛肉や豚肉は、ももやヒレを使い、鶏肉なら皮や脂肪をとり除けば楽しめます。

肉のおかず

薄切り肉を使うから中まで味が入りやすいごちそうシチュー
ビーフシチュー

材料（1人分）

牛もも薄切り肉(赤身)	60g
塩	少々(0.3g)
こしょう	少々
小麦粉	小さじ1
じゃがいも	80g(小1個)
玉ねぎ	50g(¼個)
にんじん	30g(3cm)
エリンギ	40g(1本)
オリーブ油	小さじ1
にんにく(薄切り)	1枚
赤ワイン	大さじ2
水	¾カップ
ローリエ	¼枚
トマト水煮缶(カット)	50g
デミグラスソース	大さじ2
塩	少々(0.5g)
こしょう	少々

作り方［調理時間30分］

1. じゃがいもは半分に切り、水にさっとさらす。玉ねぎはくし形に、にんじんとエリンギは食べやすい大きさに切る。牛肉は塩、こしょうをふってから丸め、表面に小麦粉をまぶす。

2. 鍋にオリーブ油を入れて中火で熱し、牛肉を入れて焼く。焼き色がついたら、にんにく、玉ねぎ、じゃがいも、にんじん、エリンギを加えて炒める。赤ワインを入れて煮立て、水、ローリエを加えてふたをし、沸騰したら弱火で10分煮る。

3. トマト缶、デミグラスソースを加え、さらに10分煮て、塩、こしょうで味を調える。

エネルギー	食物繊維	コレステロール	脂質	塩分
290kcal	10.7g	41mg	10.6g	1.3g

主菜 肉のおかず（牛肉）

えのきたけでボリュームアップ！
チンジャオロースー

材料（1人分）
牛もも焼肉用肉(赤身)		60g
A	しょうゆ・酒	各小さじ1/3
	こしょう	少々
	片栗粉	小さじ1/2
にんにく(薄切り)		1枚
長ねぎ		20g (4cm)
えのきたけ		30g (1/6袋)
ピーマン		60g (2個)
パプリカ(赤)		20g (1/9個)
サラダ油		小さじ1
B	オイスターソース	小さじ1/4
	しょうゆ	小さじ1
	酒	小さじ1
ごま油		小さじ1/4

作り方 [調理時間 20分]

1. 牛肉は太めのせん切りにして、Aをもみこむ。にんにく、長ねぎ、ピーマン、パプリカもそれぞれせん切りにし、えのきたけはほぐす。
2. ピーマンとパプリカは耐熱性の器に入れてラップをし、電子レンジ(600W)で40秒加熱する。
3. フライパンを中火で熱してサラダ油を入れ、牛肉、にんにく、長ねぎをほぐしながら炒める。えのきたけを加え炒め、Bを加え炒め、2を加えてさらに炒め合わせ、仕上げにごま油を回しかける。

エネルギー	食物繊維	コレステロール	脂質	塩分
202kcal	3.4g	41mg	10.5g	1.4g

牛肉に下味をもみこみ、しっかり味に
牛肉とアスパラの
こしょう炒め

材料（1人分）
牛もも薄切り肉(赤身)		80g
A	しょうゆ・酒	各小さじ1/2
	こしょう	少々
	片栗粉	小さじ1/3
アスパラガス		45g (3本)
玉ねぎ		25g (1/8個)
オリーブ油		小さじ1
塩		少々 (0.75g)
粗びき黒こしょう		少々

作り方 [調理時間 15分]

1. アスパラガスはかたい部分を切り、ハカマをそいで斜め切りにする。ラップで包み電子レンジ(600W)で40秒加熱する。
2. 牛肉はひと口大に切り、Aをもみこむ。玉ねぎは太めのせん切りにする。
3. フライパンを中火で熱してオリーブ油を入れ、牛肉を広げ入れて炒める。玉ねぎを加え炒め、1、塩、粗びき黒こしょうを加えて、さらに炒め合わせる。

エネルギー	食物繊維	コレステロール	脂質	塩分
189kcal	0.8g	54mg	11.4g	1.3g

トマトも一緒に焼けば甘みが出て、よりおいしく
豚ヒレソテー ハニーマスタードソース

材料（1人分）

豚ヒレ肉	90g
塩	少々（0.75g）
こしょう	少々
小麦粉	少々
トマト	40g（小⅓個）
オリーブ油	小さじ1
A はちみつ	小さじ⅓
マスタード	小さじ1
白ワイン	小さじ2
ルッコラ	10g

作り方［調理時間20分］

1. 豚肉は1cmくらいの厚さに切り、塩、こしょうをふり、小麦粉を薄くまぶす。トマトは2等分にする。
2. フライパンを中火で熱してオリーブ油を入れ、豚肉を加えて両面とも中火～弱火で焼く。途中でトマトを加えて焼く。
3. 豚肉とトマトをとり出し、Aを入れてひと煮立ちさせる。
4. 器に豚肉、トマト、ルッコラを盛り、3のソースをかける。

エネルギー	食物繊維	コレステロール	脂質	塩分
185kcal	0.7g	53mg	7.5g	1.0g

わさびをつけて、さっぱりといただく
豚肉のオクラ巻き

材料（1人分）

豚もも薄切り肉（赤身）	80g（4枚）
塩	少々（0.6g）
こしょう	少々
オクラ	40g（4本）
オリーブ油	小さじ½
A しょうゆ	小さじ⅔
酒	小さじ½
わさび	少々

作り方［調理時間15分］

1. オクラはガクをとり、塩（分量外）で表面をこすり洗いし、水で流す。豚肉は塩、こしょうをふる。
2. 豚肉1枚を広げてオクラ1本に巻きつける。これを4セット作る。
3. フライパンを中火で熱してオリーブ油をひき、2を入れて転がしながら焼く。焼き色がついたら、ふたをして弱火で2分くらい蒸し焼きにする。火を止め、Aを入れ余熱でからめる。
4. 切り分けて器に盛り、わさびを添える。

エネルギー	食物繊維	コレステロール	脂質	塩分
146kcal	2.0g	53mg	6.4g	1.3g

にんにくとにらが香るスタミナピリ辛鍋
キャベツと豚肉の塩鍋

材料（1人分）

豚ももしゃぶしゃぶ用肉(赤身)	80g
キャベツ	80g（大1枚）
にら	50g（½束）
にんにく	½かけ
赤唐辛子(輪切り)	½本分
A　だし	1½カップ
酒	小さじ2
塩	小さじ¼
こしょう	少々
ごま油	小さじ½

作り方［調理時間15分］

1. キャベツは大きめに、にらは3cm長さに切る。にんにくは薄切りにする。
2. 鍋にAを入れて中火で煮立て、キャベツ、にんにく、赤唐辛子を入れて煮る。キャベツに火が通ったら、豚肉とにらを入れ、こしょうとごま油を加えてさっと煮る。

エネルギー	食物繊維	コレステロール	脂質	塩分
165kcal	3.1g	53mg	5.8g	1.3g

（煮汁を⅓量残した場合）

肉も野菜もたっぷり食べられる満足の一品
ホイコーロー

材料（1人分）

豚もも薄切り肉(赤身)	80g
塩	少々（0.3g）
こしょう	少々
長ねぎ	20g（4cm）
キャベツ	60g（1枚）
エリンギ	40g（1本）
にんじん	30g（3cm）
にんにく(薄切り)	2枚
サラダ油	小さじ1
A　甜麺醤	小さじ½
豆板醤	小さじ¼
B　しょうゆ	小さじ⅔
酒	小さじ½
ごま油	小さじ⅓

作り方［調理時間15分］

1. 豚肉はひと口大に切り、塩、こしょうをふる。長ねぎは斜め切りに、キャベツは大きめに切る。エリンギは軸は輪切りにし、カサのほうは薄切りにする。にんじんは短冊切りにする。
2. キャベツ、にんじん、エリンギは耐熱性の器に入れてラップし、電子レンジ(600W)で1分加熱する。
3. フライパンを中火で熱してサラダ油をひき、豚肉を広げ入れて炒める。にんにく、長ねぎ、Aを加え炒め、2を入れて炒める。Bを加え、さらに炒め合わせる。

エネルギー	食物繊維	コレステロール	脂質	塩分
215kcal	3.9g	53mg	9.9g	1.5g

ゴロゴロ野菜がたっぷり入ったクリーム煮
鶏むね肉と大根のフリカッセ

材料（1人分）

鶏むね肉(皮なし)	70g
塩	少々 (0.3g)
こしょう	少々
玉ねぎ	50g (¼個)
大根	50g (1.3cm)
ブロッコリー	40g (⅙株)
オリーブ油	小さじ½
白ワイン	小さじ2
水	⅓カップ
ローリエ	¼枚
バター	小さじ1
小麦粉	小さじ1⅔
牛乳	½カップ
塩	少々 (0.75g)
こしょう	少々

作り方 [調理時間30分]

1. 鶏肉は食べやすい大きさに切り、塩、こしょうをふる。玉ねぎと大根も同じくらいの大きさに切り、ブロッコリーは薄切りにする。
2. 鍋にオリーブ油を中火で熱し、玉ねぎと大根、鶏肉を入れて炒める。鶏肉の色が変わったらワインを注いで煮立て、水とローリエを加えてふたをする。沸騰したら弱火にして10分くらい煮、ブロッコリーを加えてさらに煮る。
3. バター、小麦粉を耐熱性の器に入れ、ラップをせず電子レンジ(600W)で30秒加熱して混ぜ、牛乳少々で溶きのばす。
4. 2に3を加えて混ぜ、残りの牛乳と塩、こしょうを加え、ひと煮立ちさせる。

エネルギー	食物繊維	コレステロール	脂質	塩分
247kcal	3.6g	72mg	9.9g	1.3g

主菜 | 肉のおかず〈鶏肉〉

ザーサイで味に深みとコクをプラス

鶏肉のザーサイしょうゆ蒸し

材料（1人分）
鶏むね肉(皮なし) …… 70g
豆苗 …………………… 50g（1/5袋）
A | ザーサイ(味付き) …… 10g
　| 長ねぎ ………………… 10g（2cm）
　| 赤唐辛子(輪切り) … 1/4本分
　| しょうゆ ……………… 小さじ2/3
　| ごま油 ………………… 小さじ1

作り方 [調理時間10分]
1. 鶏肉は薄切りに、豆苗は3cm長さに切る。Aのザーサイと長ねぎは粗みじん切りにする。
2. 耐熱性の器に豆苗を入れ、鶏肉を広げてのせ、よく混ぜ合わせたAをかけ、ふんわりとラップをして電子レンジ（600W）で2分30秒加熱する。

エネルギー	食物繊維	コレステロール	脂質	塩分
134kcal	1.9g	51mg	5.4g	1.4g

あんかけにして、全体に味をからめる

鶏むね肉のレモンあんかけ炒め

材料（1人分）
鶏むね肉(皮なし) …… 70g
A | 塩 …………………… 少々（0.3g）
　| こしょう …………… 少々
　| 酒 …………………… 小さじ1/2
　| 片栗粉 ……………… 小さじ1
きゅうり ………………… 45g（1/2本）
パプリカ(赤) …………… 40g（約1/5個）
しょうが(薄切り) ……… 2枚
レモン(薄切り) ………… 2枚
サラダ油 ………………… 小さじ1
B | 鶏ガラスープの素 … 小さじ1/4
　| 水 …………………… 1/4カップ
　| 塩 …………………… 少々（0.75g）
　| 砂糖 ………………… 小さじ2/3
　| 酢 …………………… 小さじ1/2
　| 片栗粉 ……………… 小さじ1/4

作り方 [調理時間15分]
1. 鶏肉は薄切りにして、Aと混ぜ合わせる。きゅうりとパプリカは乱切りに、しょうがは小さい角切り、レモンは半月切りにする。
2. フライパンを中火で熱してサラダ油を入れ、鶏むね肉を加えて両面とも焼く。しょうが、パプリカ、きゅうりを加えて炒め、レモンとよく混ぜ合わせておいたBを加えてさらに炒め合わせる。

エネルギー	食物繊維	コレステロール	脂質	塩分
157kcal	1.7g	51mg	5.1g	1.4g

カレー味のチキンとヨーグルトドレッシングが合う！
タンドリーチキンサラダ

材料（1人分）

- 鶏むね肉（皮なし） …… 80g
- A
  - 塩 …… 少々（0.3g）
  - カレー粉 …… 小さじ½
  - ヨーグルト（無糖） …… 大さじ1
  - ケチャップ …… 小さじ½
  - にんにく・しょうが（各すりおろし） …… 各少々
- レタス …… 30g（1枚）
- トマト …… 40g（小⅓個）
- 玉ねぎ …… 20g（1/10個）
- B
  - オリーブ油 …… 小さじ½
  - 酢 …… 小さじ½
  - 塩 …… 少々（0.75g）
  - こしょう …… 少々
  - ヨーグルト（無糖） …… 大さじ½

作り方 ［調理時間20分（漬けこむ時間除く）］

1. 鶏肉は薄切りにし、Aと混ぜ合わせて30分くらい室温で漬けこむ。
2. レタスは食べやすい大きさに切り、トマトは乱切りにする。玉ねぎはせん切りにして水にさらし、水けをきっておく。
3. 1は、魚焼きグリルで8～9分焼く（オーブントースターなら10分）。
4. 器に2の野菜と3を盛り合わせ、Bを混ぜ合わせたドレッシングをかける。

エネルギー	食物繊維	コレステロール	脂質	塩分
141kcal	1.5g	61mg	4.1g	1.2g

主菜 — 肉のおかず（鶏肉）

黒酢とラー油がきいたたれでいただく
よだれ鶏風サラダ

材料（1人分）

鶏むね肉（皮なし）……80g
 酒……………………小さじ1
 しょうが（薄切り）……1枚
 長ねぎ（青い部分）……3cm
セロリ……………………20g（1/5本）
きゅうり…………………30g（1/3本）
ミニトマト………………45g（3個）
白いりごま………………小さじ1/4
香菜………………………少々
A にんにく（すりおろし）…少々
 しょうが（すりおろし）…1/4かけ分
 しょうゆ…………………小さじ1 1/2
 黒酢………………………小さじ1
 ラー油……………………小さじ1/4
 粉山椒……………………少々

作り方 ［調理時間10分（冷やす時間除く）］

1. 鶏肉は耐熱性の器に入れて酒をふり、しょうがとねぎをのせて、ふんわりラップをし、電子レンジ（600W）で1分30秒加熱する。粗熱がとれたら冷蔵室で冷やし、食べやすい大きさにさく。
2. セロリ、きゅうりはせん切りに、ミニトマトは4等分に切る。
3. 1の鶏肉と2を合わせて器に盛り、食べやすい大きさに刻んだ香菜をのせる。ごまをちらし、混ぜ合わせたAを回しかける。

エネルギー	食物繊維	コレステロール	脂質	塩分
134kcal	1.4g	58mg	2.7g	1.4g

たらこの塩けで調味料なしでもおいしく
ささみのたらこしそ蒸し

材料（1人分）

鶏ささみ…………………100g（大2本）
 酒………………………小さじ1/2
たらこ……………………20g（1/4腹）
しそ………………………2枚

作り方 ［調理時間10分］

1. 鶏肉は筋をとって観音開きにし、酒をふる。
2. ほぐしたたらこと、粗みじん切りにしたしそを等分にしてそれぞれささみに塗る。耐熱性の器にのせてふんわりラップをし、電子レンジ（600W）で2分加熱し、食べやすい大きさに切り分ける。

エネルギー	食物繊維	コレステロール	脂質	塩分
128kcal	0.1g	136mg	1.1g	1.0g

淡白な素材に合う万能薬味だれ
鶏もも肉の塩焼き薬味だれがけ

材料（1人分）

鶏もも肉（皮なし）		90g
塩		少々（0.75g）
水菜		10g（½株）
みょうが		10g（½個）
A｜レモン汁		小さじ1
｜しょうゆ		小さじ½
｜砂糖		少々（0.4g）
白いりごま		少々

作り方［調理時間 **15**分］

1. 鶏肉は厚みが均一になるように開いて塩をふり、魚焼きグリルで9～10分焼き、食べやすい大きさに切り分ける。水菜は3cm長さに切る。
2. みょうがは小口切りにし、Aと合わせて薬味だれを作る。
3. 器に1を盛り、2を鶏肉にかけ、ごまをふる。

エネルギー	食物繊維	コレステロール	脂質	塩分
112kcal	0.5g	78mg	4.0g	1.4g

焼き鳥風のたれでごはんがすすむ
鶏もも肉の焼き鳥風炒め

材料（1人分）

鶏もも肉（皮なし）		60g
ししとう		20g（4本）
長ねぎ		30g（6cm）
ごま油		小さじ½
しょうゆ		小さじ1
みりん		小さじ⅔
七味唐辛子		少々

作り方［調理時間 **10**分］

1. 鶏肉はひと口大に切る。ししとうはへたを少し切り、長ねぎは縦半分に切り、2cm長さに切る。
2. フライパンを中火で熱し、ごま油を入れて鶏肉とねぎを加える。きつね色になるまで焼き、ししとうを加えてさっと焼き、火を止める。しょうゆとみりんを加え、余熱でからめる。
3. 器に盛り、七味唐辛子をふる。

エネルギー	食物繊維	コレステロール	脂質	塩分
115kcal	1.5g	53mg	4.6g	1.0g

主菜 肉のおかず（鶏肉）

ナンプラーと香菜がきいたアジアンテイスト
エスニックローストチキン

材料（1人分）

- 鶏もも肉（皮なし）……90g
- A
  - ナンプラー…………小さじ¾
  - はちみつ……………小さじ½
  - レモン汁……………小さじ1½
  - にんにく（みじん切り）…少々
  - ごま油………………小さじ⅓
  - 赤唐辛子（輪切り）……3つ
- 香菜……………………少々
- レタス…………………30g（1枚）
- 紫玉ねぎ………………10g（1/20個）
- レモン（くし形切り）……1切れ

エネルギー	食物繊維	コレステロール	脂質	塩分
137kcal	0.5g	78mg	5.2g	1.2g

作り方 [調理時間15分（漬けこむ時間除く）]

1. 鶏肉は厚みが均一になるように開き、よく混ぜたAに30分くらい室温で漬けこむ。
2. オーブントースターで10分くらい（または魚焼きグリル中火で8分くらい）焼き、食べやすい大きさに切り分ける。
3. レタスは食べやすい大きさに切り、紫玉ねぎはせん切りにして水にさらし、香菜は3cm長さに切る。
4. 器に2と3を盛り合わせ、レモンを添える。

脂を落とすコツ

網焼きなどにすれば脂質の量が大幅に減る

肉は網焼きにしたりゆでたりすれば、調理中に余分な脂が落ち、エネルギーや脂質の量を減らせます。肉料理を連日食べるのはおすすめしませんが、調理法を選んで適度に楽しみましょう。

大きく切った根菜にじっくり味をしみこませて

鶏もも肉と根菜の炒め煮

材料（1人分）

- 鶏もも肉（皮なし）……60g
  - しょうゆ………小さじ1/3
  - 砂糖……………小さじ1/5
- れんこん…………40g（1/5節）
- ごぼう……………30g（1/5本）
- にんじん…………30g（3cm）
- サラダ油…………小さじ1/2
- しょうが（みじん切り）……薄切り1枚分
- A
  - だし……………1/3カップ
  - 酒………………小さじ2
  - しょうゆ………小さじ1
  - 砂糖……………小さじ1/4

作り方[調理時間20分]

1. 鶏肉はひと口大に切る。れんこん、ごぼう、にんじんは乱切りにする。
2. フライパンにサラダ油を中火で熱し、鶏肉を入れ、きつね色になるまで焼いてとり出し、しょうゆと砂糖を混ぜたものと合わせる。
3. 2のフライパンにれんこん、ごぼう、にんじん、しょうがを入れて中火で炒め、Aを加えてふたをする。沸騰したら弱火で7〜8分煮る。2をつけ汁ごと戻し、さらに5分くらい煮、ふたをとって中火にして全体に煮汁をからめる。

エネルギー	食物繊維	コレステロール	脂質	塩分
162kcal	3.3g	52mg	4.6g	1.4g

主菜｜肉のおかず（鶏肉・ひき肉）

野菜もミートボールもごろっと大きく食べごたえあり
ミートボールポトフ

材料（1人分）

- 合いびき肉（赤身） …… 60g
- A
  - 卵 …………… 10g（⅕個）
  - こしょう・ナツメグ … 各少々
  - 塩 …………… 少々（0.3g）
- 玉ねぎ …………… 20g（1/10個）
- キャベツ ………… 60g（1枚）
- 大根 ……………… 60g（1.5cm）
- にんじん ………… 40g（4cm）
- B
  - にんにく（薄切り） … 1枚
  - ローリエ ………… ¼枚
  - タイム …………… 少々
  - 水 ……………… 1½カップ
  - コンソメスープの素（固形） … ⅛個
- 塩 ………………… 少々（0.75g）
- こしょう ………… 少々

作り方［調理時間35分］

1. 玉ねぎはみじん切りに、キャベツは4つに切る。大根とにんじんは食べやすい大きさに切る。
2. ボウルにひき肉とAを入れて、粘りが出るまでよく混ぜ、玉ねぎを加えてさらに混ぜ合わせる。
3. 鍋にBと大根、にんじん、キャベツを入れて中火にかけてふたをする。沸騰後弱火にして10分煮る。2の肉だねを丸めて加え、さらに15分煮る。塩、こしょうで味を調える。

エネルギー	食物繊維	コレステロール	脂質	塩分
153kcal	3.2g	77mg	5.9g	1.4g

コクのあるチーズ入りの肉だね
肉詰めピーマン

材料（1人分）

ピーマン	45g（1½個）
合いびき肉（赤身）	60g
玉ねぎ	30g（⅙個）
溶き卵	13g（¼個）
パルメザンチーズ	小さじ½
塩	少々（0.75g）
こしょう・ナツメグ	各少々
オリーブ油	小さじ¾
ケチャップ	小さじ1½

エネルギー	食物繊維	コレステロール	脂質	塩分
148kcal	1.6g	79mg	8.1g	1.1g

作り方 ［調理時間20分］

1. 玉ねぎはみじん切りにする。
2. フライパンを中火で熱し、オリーブ油小さじ½を入れてひき肉、玉ねぎを炒めてとり出し、塩、こしょう、ナツメグ、パルメザンチーズ、卵を混ぜ合わせる。
3. ピーマンを縦半分に切って種をとり、2を均等に詰める。
4. フライパンを中火で熱して残りのオリーブ油を入れて、3のピーマンの切り口を下に入れてふたをし、弱火で4〜5分焼く。ひっくり返してふたをし、さらに2〜4分焼く。
5. 器に盛り、ケチャップをかける。

主菜 | 肉のおかず（ひき肉）

甘酢の香りが食欲をそそる
えのき肉団子 甘酢あんかけ

材料（1人分）

豚ひき肉（赤身）	80g
塩	少々（0.5g）
こしょう	少々
玉ねぎ	20g（1/10個）
えのきたけ	30g（1/6袋）
片栗粉	小さじ1/2
サラダ油	小さじ1
A　しょうゆ・砂糖	各小さじ1
だし	大さじ3
酢	小さじ1
B　片栗粉	小さじ1/4
水	小さじ1

作り方［調理時間20分］

1. 玉ねぎはみじん切りにする。えのきたけは細かく刻んで片栗粉と混ぜ合わせる。
2. ひき肉は塩、こしょうを入れて粘りが出るまでよく混ぜ、1を加えてさらに混ぜる。4等分にし、丸く形を整える。
3. フライパンを熱してサラダ油を入れ、2を入れてふたをし、中火で2分、弱火で3分焼き、ひっくり返して同様の時間で焼いて器に盛る。
4. 同じフライパンにAを入れてよく混ぜ、煮立てる。酢とBの水溶き片栗粉を入れてとろみをつけ、ひと煮立ちさせたら、3にかける。

エネルギー	食物繊維	コレステロール	脂質	塩分
190kcal	1.5g	53mg	8.2g	1.5g

春雨入りでボリューム満点！
肉団子と白菜の春雨煮

材料（1人分）

豚ひき肉（赤身）	80g
A　塩	少々（0.5g）
酒	小さじ1
こしょう	少々
白すりごま	小さじ1
長ねぎ	20g（4cm）
白菜	100g（1枚）
春雨（乾燥）	10g
水	3/4カップ
酒	小さじ2
B　しょうゆ	小さじ2/3
オイスターソース	小さじ1/4
しょうが（せん切り）	薄切り1枚
C　片栗粉	小さじ1/4
水	小さじ1

作り方［調理時間20分］

1. ひき肉はAと合わせて粘りが出るまでよく混ぜる。みじん切りにした長ねぎを加えてさらに混ぜる。3等分にして丸める。
2. 白菜はそぎ切りにする。春雨は熱湯に入れてもどし、食べやすい長さに切る。
3. 鍋に水と酒を入れて中火で煮立て、白菜と1を入れ、Bを加えてふたをする。沸騰したら弱火で10分煮、春雨を加えてさらに5分煮る。Cの水溶き片栗粉でとろみをつけ、ひと煮立ちさせる。

エネルギー	食物繊維	コレステロール	脂質	塩分
206kcal	2.6g	53mg	5.9g	1.3g

大豆のおかず

大豆や大豆製品にはコレステロール値を改善する食物繊維や不飽和脂肪酸が含まれています。コレステロール量が少なく、調理が簡単。毎日食べたい食材です。

豆も野菜も一皿でたくさんとれる！
豆とえびの豆乳シチュー

材料（1人分）

いんげん豆（缶）	50g
玉ねぎ	50g（1/4個）
にんじん	30g（3cm）
えび	60g（4尾）
塩・こしょう	各少々
いんげん	30g（5本）
オリーブ油	小さじ1
小麦粉	小さじ1 1/2
水	1/3カップ
コンソメスープの素（固形）	1/8個
ローリエ	1/4枚
豆乳	3/4カップ
塩・こしょう	各少々

作り方［調理時間 **25**分］

1. 玉ねぎは大きめのくし形に切り、にんじんは小さめの2cm長さの角切りにする。えびは背ワタをとり、殻をむいて塩、こしょうをふる。いんげんはさっとゆでて、2cm長さに切る。
2. 鍋にオリーブ油を中火で熱し、玉ねぎとにんじんを炒める。小麦粉を加えて焦がさないように炒め、水、コンソメスープの素、ローリエを入れてふたをする。沸騰したら弱火でときどき混ぜながら7～8分煮る。えび、いんげん豆、いんげん、豆乳を加えて煮立ったら、塩、こしょうで味を調える。

エネルギー	食物繊維	コレステロール	脂質	塩分
265kcal	9.5g	77mg	7.6g	1.0g

主菜｜大豆のおかず

香味野菜の香りが大豆のうまみを引き立てる
大豆と豚肉のピリ辛炒め

材料（1人分）

大豆（缶）	60g
豚もも薄切り肉（赤身）	40g
A しょうゆ	小さじ1/3
酒	小さじ1
片栗粉	小さじ1/2
ごま油	小さじ1
にんにく・しょうが（各みじん切り）	各少々
赤唐辛子（輪切り）	1/2本分
長ねぎ	20g（4cm）
B 酒	小さじ1
オイスターソース	小さじ1/4
しょうゆ	小さじ2/3

作り方［調理時間15分］

1 豚肉はひと口大に切り、Aと混ぜ合わせる。長ねぎは斜めに切る。

2 フライパンを中火で熱してごま油を入れ、豚肉を広げながら加えて両面とも焼く。にんにく、しょうが、赤唐辛子、長ねぎを加えて炒め、香りが出たら大豆を加えて炒める。Bを加えて、炒め合わせる。

エネルギー	食物繊維	コレステロール	脂質	塩分
196kcal	4.7g	27mg	9.9g	1.4g

牛肉のコクとトマトの酸味がおいしさの決め手
大豆のトマト煮

材料（1人分）

大豆（缶）	60g
牛ひき肉（赤身）	30g
玉ねぎ	20g（1/10個）
セロリ	30g（約1/3本）
パプリカ（赤）	40g（約1/5個）
オリーブ油	小さじ1
にんにく（みじん切り）	薄切り1枚分
水	1/2カップ
トマト水煮缶（カット）	50g
オレガノ・ナツメグ	各少々
塩	小さじ1/6
こしょう	少々

作り方［調理時間30分］

1 玉ねぎ、セロリ、パプリカは小さめの角切りにする。

2 フライパンを中火で熱しオリーブ油を入れ、玉ねぎ、にんにく、セロリを炒める。ひき肉を加えてさらに炒め、火が通ったらパプリカと大豆を炒め、水、トマト水煮、オレガノ、ナツメグを入れてふたをする。沸騰したら弱火で7〜8分煮て、塩、こしょうで味を調える。

エネルギー	食物繊維	コレステロール	脂質	塩分
194kcal	6.2g	20mg	10.7g	1.4g

うまみたっぷりの食材ばかりだから調味料は少しでOK
おから団子と野菜のトマト煮

材料（1人分）

おから	……………	80g
A 溶き卵	…………	25g（½個）
塩	……………	少々（0.3g）
こしょう	…………	少々
パルメザンチーズ	・・	小さじ1
オリーブ油	…………	小さじ1
ベーコン	……………	8g（½枚）
セロリ	……………	30g（約⅓本）
玉ねぎ	……………	30g（⅙個）
パプリカ（赤）	………	20g（⅙個）
トマト水煮缶（カット）	・・・	50g
水	………………	½カップ
塩	………………	小さじ⅙
こしょう	…………	少々

作り方［調理時間20分］

1 ベーコンは粗みじん切りに、セロリと玉ねぎ、パプリカは太めのせん切りにする。おからはAとよく混ぜ合わせて4個に丸く形を整える。

2 フライパンを中火で熱しオリーブ油小さじ½を入れて弱火にし、1を加えて両面焼いてとり出す。残りのオリーブ油を入れて中火にし、ベーコンとセロリ、パプリカ、玉ねぎを炒め、水とトマト水煮を入れて混ぜ、ふたをする。沸騰したら弱火で10分くらい煮る。塩、こしょうで味を調える。

3 器に盛り、おから団子をのせる。

エネルギー	食物繊維	コレステロール	脂質	塩分
212kcal	11.1g	99mg	12.7g	1.7g

主菜 | 大豆のおかず

切って和えるだけの簡単レシピ
まぐろ納豆

材料（1人分）
まぐろ（さしみ用さく）	60g
水菜	10g（½株）
納豆	40g（1パック）
しょうゆ	小さじ1
酢	小さじ¼

作り方［調理時間5分］
1. まぐろは3㎝の角切り、水菜は2㎝長さに切って混ぜ合わせる。
2. 器に盛り、酢としょうゆを混ぜた納豆をかける。

エネルギー	食物繊維	コレステロール	脂質	塩分
153kcal	3.0g	30mg	4.4g	0.9g

いろいろな食感と味が楽しめる炒めもの
にらともやしの卵納豆炒め

材料（1人分）
にら	30g（約⅓束）
大豆もやし	100g（½袋）
ごま油	小さじ1
納豆	40g（1パック）
しょうゆ	小さじ½
溶き卵	25g（½個）
塩	少々（0.75g）
こしょう	少々

作り方［調理時間10分］
1. にらは3㎝長さに切る。納豆は卵、しょうゆと混ぜ合わせる。
2. フライパンを中火で熱し、ごま油を入れてにらともやしを炒めて、塩、こしょうをふる。納豆を加えて炒め合わせる。

エネルギー	食物繊維	コレステロール	脂質	塩分
184kcal	5.8g	93mg	11.4g	1.3g

コレステロール値を下げるコツ
1日1回大豆製品を食べる
大豆にはコレステロール値を改善して動脈硬化の進行を抑える働きが。主菜のローテーションに加える、副菜に冷奴や煮豆を追加するなどして、毎日食べましょう。

表面はカリッと！中はふわっと！
焼きがんも

材料（1人分）

木綿豆腐	……………	100g (⅓丁)
鶏ひき肉（皮なし）	………	30g
塩	………………	小さじ⅙
長ねぎ	………………	10g (2cm)
しいたけ	……………	20g (1枚)
片栗粉	………………	小さじ1
サラダ油	……………	小さじ⅔
A｜酢	………………	小さじ¼
｜しょうゆ	…………	小さじ½
練りからし	…………	少々

作り方 [調理時間20分 (水きりの時間除く)]

1. 豆腐はペーパータオルに包んで重しをして10分くらい置き、水けをきってつぶす。長ねぎとしいたけは、それぞれみじん切りにする。
2. ひき肉に塩を入れ、粘りが出るまでよく混ぜる。**1**と片栗粉を加えてさらに混ぜ合わせ、3等分にして丸く形を整える。
3. フライパンを中火で熱し、サラダ油をひいて**2**を入れる。ふたをして4分焼き、裏返してさらに4分焼く。
4. 器に盛り、混ぜた**A**をかけ、からしを添える。

エネルギー	食物繊維	コレステロール	脂質	塩分
154kcal	2.3g	26mg	8.5g	1.5g

にんにくの芽には食物繊維がたっぷり
豆腐の
オイスターソース煮

材料（1人分）

絹ごし豆腐	…………	150g (½丁)
牛もも薄切り肉(赤身)	…	30g
A｜塩・こしょう	……	各少々
｜片栗粉	…………	小さじ½
長ねぎ	………………	10g (1/10本)
にんにくの芽	………	40g
ごま油	………………	小さじ1
B｜酒	………………	小さじ2
｜オイスターソース	…	小さじ½
｜しょうゆ	…………	小さじ⅔
｜水	………………	⅓カップ
C｜片栗粉	…………	小さじ½
｜水	………………	小さじ2

作り方 [調理時間10分]

1. 豆腐は食べやすい大きさに切る。長ねぎは斜め切りに、にんにくの芽は3cm長さに切る。牛肉はひと口大に切り、**A**をもみこむ。
2. フライパンを中火で熱し、ごま油を入れて牛肉を炒める。長ねぎ、にんにくの芽を加えてさらに炒め、**B**を加えて煮立たせる。豆腐を入れて沸騰したら弱火にして2〜3分煮る。**C**の水溶き片栗粉でとろみをつけ、ひと煮立ちさせる。

エネルギー	食物繊維	コレステロール	脂質	塩分
218kcal	3.1g	20mg	11.5g	1.3g

主菜 | 大豆のおかず

だしをきかせた"あん"で豆腐をコーティング
豆腐と春菊のあんかけ煮

材料（1人分）

絹ごし豆腐	150g	(½丁)
春菊	40g	(4本)
鶏ひき肉（皮なし）	40g	
しょうが（みじん切り）	薄切り1枚分	
A　だし	¼カップ	
みりん	小さじ1	
塩	小さじ⅙	
サラダ油	小さじ½	
しょうゆ	小さじ⅓	
B　片栗粉	小さじ1	
水	小さじ2	

作り方 ［調理時間 15分］

1. 豆腐は1cmの角切りにする。春菊はラップで包み、電子レンジ(600W)で30秒加熱し、水にさらす。水けをしぼって2cm長さに切る。

2. フライパンを中火で熱し、サラダ油を入れてひき肉としょうがを炒める。Aを加えて煮立て、豆腐を入れる。沸騰したら弱火にして3分くらい煮、春菊としょうゆを加え、Bの水溶き片栗粉を加えてとろみをつけ、ひと煮立ちさせる。

エネルギー	食物繊維	コレステロール	脂質	塩分
182kcal	2.7g	35mg	8.5g	1.5g

豆腐は水きりすると味がなじみやすくなる
トマトソースグラタン

材料（1人分）

木綿豆腐	150g（½丁）
玉ねぎ	20g（⅒個）
にんにく（みじん切り）	少々
トマト水煮缶（カット）	100g
ツナ水煮缶	30g（小½缶）
オリーブ油	小さじ1
塩	少々（0.75g）
こしょう	少々
ピザ用チーズ	20g

エネルギー	食物繊維	コレステロール	脂質	塩分
266kcal	3.3g	27mg	16.2g	1.3g

作り方 ［調理時間20分（水きりの時間除く）］

1. 豆腐はペーパータオルで包み、重しをして10分くらい置き、水きりする。玉ねぎはみじん切りにする。
2. フライパンにオリーブ油とにんにくを入れて中火で熱し、玉ねぎを炒める。トマト水煮と汁けをきったツナを入れてトロリとするまで煮て、塩、こしょうで味を調える。
3. 豆腐は薄切りにして耐熱性の器に並べ、**2**をかける。チーズをちらし、オーブントースターで10分程度焼く。

コレステロール値を下げるコツ

主菜を豆腐料理にしてたっぷり食べる

1日3食のうち、1食分の主菜を大豆製品を使ったものにして、たっぷりとりましょう。特に豆腐料理にすると、ボリュームが出て見た目にも満足感が得られます。

主菜 | 大豆のおかず

ゴーヤーと大豆もやしたっぷりの炒めもの
豆腐チャンプルー

材料（1人分）
木綿豆腐	100g（⅓丁）
ゴーヤー	50g（¼本）
大豆もやし	100g（½袋）
ツナ水煮缶	30g（小½缶）
にんにく	薄切り1枚
ごま油	小さじ1
A 塩	少々（0.8g）
しょうゆ	小さじ½
こしょう	少々

作り方［調理時間10分（水きりの時間除く）］

1. 豆腐はペーパータオルで包み、重しをして10分くらい置き、水けをきる。ゴーヤーは種とワタをとり、3〜5mm厚さに切る。
2. フライパンを中火で熱し、ごま油を入れ、豆腐を大きくくずしながら炒める。にんにく、ゴーヤー、大豆もやしを加えて炒め、汁けをきったツナ、Aを加えて炒め合わせる。

エネルギー	食物繊維	コレステロール	脂質	塩分
170kcal	4.8g	11mg	9.8g	1.4g

電子レンジ調理で手間なく簡単
豆腐とたいのわかめ蒸し

材料（1人分）
木綿豆腐	100g（⅓丁）
たい	50g（½切れ）
塩	少々
わかめ（塩蔵）	30g
酒	小さじ2
小ねぎ	2g（1本）
ぽん酢しょうゆ	小さじ1½

作り方［調理時間10分（わかめをもどす時間除く）］

1. わかめは水で洗ってもどし、ひと口大に切る。たいは薄切りにして塩をふる。豆腐も薄切りにする。
2. 耐熱性の器にわかめを入れ、たいと豆腐を交互に並べ、酒をふりかけてふんわりとラップをする。電子レンジ（600W）で3分加熱し、小口切りにした小ねぎとぽん酢をかける。

エネルギー	食物繊維	コレステロール	脂質	塩分
160kcal	2.6g	33mg	6.9g	1.7g

じゃこの香ばしさがアクセントに
豆腐とにんじんのじゃこ炒め

材料（1人分）

木綿豆腐	150g（½丁）
にんじん	60g（⅓本）
ちりめんじゃこ	大さじ1
ごま油	小さじ1
しょうゆ・みりん	各小さじ1

作り方 [調理時間10分]

1. 豆腐は水けをきり、ひと口大に切る。にんじんはピーラーで薄切りにする。
2. フライパンを中火で熱してごま油を入れ、豆腐を加えて両面焼く。にんじんとちりめんじゃこを加えて炒め、しょうゆとみりんを加えてさらに炒め合わせる。

エネルギー	食物繊維	コレステロール	脂質	塩分
188kcal	3.1g	12mg	10.8g	1.1g

豆乳入りの煮汁は何にでもよく合う
豆腐のゆずみそ煮

材料（1人分）

木綿豆腐	150g（½丁）
A だし	¼カップ
酒	小さじ1
砂糖	小さじ½
みそ	小さじ1¼
豆乳	¼カップ
ゆずの皮	少々

作り方 [調理時間15分]

1. 豆腐は3等分に切る。
2. 鍋でAを混ぜ合わせて中火で煮立て、1を入れてふたをする。沸騰したら弱火にして5分くらい煮る。豆乳を加えて煮立てる。
3. 器に盛り、せん切りにしたゆずの皮を添える。

エネルギー	食物繊維	コレステロール	脂質	塩分
157kcal	2.1g	0mg	8.1g	1.0g

主菜 | 大豆のおかず

あさりだしとキムチの辛さがきいて食べごたえ抜群！

豆腐チゲ

材料（1人分）

絹ごし豆腐	150g（½丁）
あさり（砂抜きする）	殻つき100g
にんにく（薄切り）	2枚
長ねぎ	30g（⅓本）
ごま油	小さじ1
キムチ	40g
白菜	80g（小1枚）
にら	30g（約⅓束）
水	1½カップ
酢	小さじ1
しょうゆ	小さじ½

作り方［調理時間15分］

1. 白菜は大きめの短冊切りに、にらは3cm長さに切る。あさりは殻をこすり合わせてよく洗い、長ねぎは斜め切りにする。
2. 鍋にごま油を中火で熱し、にんにく、長ねぎ、キムチを炒め、水を加えて煮立てる。あさりと白菜を加えてふたをして煮立て、大きめのスプーンですくった豆腐を加えてさらに煮る。にらを入れてひと煮立ちさせ、仕上げに酢としょうゆを加える。

エネルギー	食物繊維	コレステロール	脂質	塩分
173kcal	5.0g	17mg	8.8g	2.0g

（煮汁を⅓量残した場合）

えびとえのき入りの"あん"が高野豆腐にしみる
高野豆腐のあんかけ煮

材料（1人分）

高野豆腐	………	1枚(15g)
えび	………	30g(2尾)
えのきたけ	………	20g(小¼袋)
A だし	………	½カップ
みりん	………	大さじ1
塩	………	少々(0.8g)
しょうゆ	………	小さじ½
B 片栗粉	………	小さじ1½
水	………	小さじ3

作り方 [調理時間20分]

1. 高野豆腐は熱湯をかけてもどし、水を流し入れながら冷ます。軽くしぼって水けをきり、4等分に切る。えびは背ワタをとって殻をむき、粗くたたく。えのきたけは2cm長さに切る。

2. 鍋にAを入れて中火で煮立て、1を加えてふたをする。沸騰したら弱火で7〜8分煮る。しょうゆを加え、Bの水溶き片栗粉でとろみをつけてひと煮立ちさせる。

エネルギー	食物繊維	コレステロール	脂質	塩分
164kcal	1.2g	39mg	4.9g	1.6g

減量のコツ

高野豆腐1枚でしっかり栄養がとれる

脂質代謝を改善し、動脈硬化予防の効果が期待できるαリノレン酸やたんぱく質が豊富な高野豆腐。ミネラルもバランスよく含まれていて、食べごたえもあるので、減量におすすめ。

主菜 | 大豆のおかず

たけのこを入れてボリュームアップ
厚揚げとさやえんどうの玉とじ煮

材料（1人分）

厚揚げ	60g	(⅓丁強)
さやえんどう	50g	
たけのこ(ゆで)	40g	
A だし	⅓カップ	
みりん	小さじ1	
しょうゆ	小さじ1⅓	
卵	45g	(小1個)

作り方［調理時間20分］

1. 厚揚げは熱湯をかけて油抜きをし、ひと口大の薄切りにする。たけのこは薄切りに、さやえんどうは筋をとる。
2. 鍋にAを入れて中火で煮立て、1を加えてふたをする。沸騰したら弱火で5分くらい煮る。割りほぐした卵を回し入れてふたをし、火を止める。好みのかたさになったら器に盛る。

エネルギー	食物繊維	コレステロール	脂質	塩分
203kcal	3.2g	167mg	10.7g	1.4g

みそとさくらえびが厚揚げの存在感を引き立たせる
厚揚げと小松菜のえびみそ炒め

材料（1人分）

厚揚げ	90g	(½丁弱)
小松菜	80g	(2株)
さくらえび	2つまみ	
ごま油	小さじ1	
みりん	小さじ1	
みそ	小さじ1½	

作り方［調理時間10分］

1. 厚揚げは熱湯をかけて油抜きし、ひと口大の薄切りにする。小松菜は3cm長さに切り、さくらえびは刻む。
2. フライパンを中火で熱してごま油を入れ、厚揚げ、小松菜を炒める。さくらえび、みりん、みそを加えて炒め合わせる。

エネルギー	食物繊維	コレステロール	脂質	塩分
211kcal	2.6g	14mg	12.0g	1.2g

「煮汁がじゅわーっ」がたまらない！
がんもと豆苗のおかか煮

材料（1人分）
がんもどき	…………	70g（½枚）
豆苗	…………	50g（⅕袋）
A	だし	⅓カップ
	砂糖	小さじ½
	酒	小さじ2
	しょうゆ	小さじ1⅓
削り節	…………	1g（¼袋）

作り方［調理時間20分］
1. がんもどきは油抜きし、いちょう切りにする。豆苗は長さを3等分に切る。
2. 鍋にAを入れて中火で煮立て、がんもどきを加えてふたをする。沸騰したら弱火で7〜8分煮る。豆苗と削り節を加えて、さらに3分くらい煮る。

エネルギー	食物繊維	コレステロール	脂質	塩分
197kcal	2.1g	2mg	12.0g	1.6g

卵はとろ〜り半熟に仕上げて
あぶ玉煮

材料（1人分）
油揚げ	…………	15g（½枚）
卵	…………	45g（小1個）
ほうれん草	…………	50g（大2株）
A	だし	½カップ
	酒	小さじ2
	砂糖	小さじ½
	しょうゆ	小さじ1½

作り方［調理時間20分］
1. 油揚げは口を開き、熱湯をかけて油抜きして卵を割り入れ、口を楊枝で留める。ほうれん草はラップで包み、電子レンジ(600W)で40秒加熱してとり出す。冷まして水けをしぼり、3cm長さに切る。
2. 鍋にAを中火で煮立て、1の油揚げを入れてふたをする。沸騰したら弱火で10分くらい煮る。ほうれん草を加えてひと煮立ちさせる。
3. 油揚げを半分に切り、ほうれん草と共に器に盛る。

エネルギー	食物繊維	コレステロール	脂質	塩分
155kcal	1.6g	167mg	9.0g	1.6g

主菜 | 大豆のおかず

具材がぎっしり詰まってボリューム満点
油揚げの肉詰め焼き

材料（1人分）

油揚げ	15g（½枚）
春菊	30g（3本）
豚ひき肉（赤身）	40g
しょうゆ	小さじ½
こしょう	少々
しいたけ	10g（½枚）
サラダ油	小さじ¼
A　しょうゆ	小さじ½
みりん	小さじ¼

エネルギー	食物繊維	コレステロール	脂質	塩分
137kcal	1.6g	26mg	7.9g	1.0g

作り方[調理時間20分]

1. 春菊はラップで包み、電子レンジ（600W）で30秒加熱して、細かく刻む。しいたけはみじん切りにする。

2. ひき肉にしょうゆとこしょうを混ぜ合わせ、さらに1を混ぜて、口を開いた油揚げに詰めて、平らにする。

3. フライパンにサラダ油を入れ、2を加えてふたをし、中火〜弱火で5分くらい焼き、裏返してふたをし、さらに5分くらい焼いて火を止める。Aを混ぜ合わせて加え、余熱で味をからめる。

4. 半分に切り、器に盛る。

卵はコレステロールを多く含んでいますが、良質のたんぱく質も多く含まれています。LDLコレステロール値が高い人は、1週間のなかで量を調整して食べましょう。

卵のおかず

だしの甘みがしみこんだなすがじんわりおいしい

なすとみょうがの卵とじ煮

材料（1人分）

なす	……………	80g（1個）
みょうが	……………	20g（1個）
A だし	……………	¼カップ
みりん	……………	小さじ1½
しょうゆ	……………	小さじ1
卵	……………	50g（1個）

エネルギー	食物繊維	コレステロール	脂質	塩分
115kcal	2.2g	186mg	4.7g	1.1g

作り方［調理時間15分］

1. なすはへたを切り、ところどころ皮をむいて短冊切りにし、さっと水にさらして水けをきる。みょうがは太めのせん切りにする。

2. 鍋にAを入れて中火で煮立て、なすを入れてふたをする。沸騰したら弱火で5分程度煮る。みょうがをちらし、割りほぐした卵を回し入れて再度ふたをして火を止め、好みのかたさになったら器に盛る。

主菜 | 卵のおかず

卵に具材を混ぜてから焼き上げる
マッシュルームオムレツ

材料（1人分）

玉ねぎ	20g（1/10個）
マッシュルーム	60g（4個）
バター	小さじ1/2
卵	50g（1個）
塩	少々（0.75g）
こしょう	少々
オリーブ油	小さじ1/2
ケチャップ	小さじ1

作り方［調理時間10分］

1. 玉ねぎはみじん切りに、マッシュルームは薄切りにする。フライパンを中火で熱してバターを溶かし、玉ねぎとマッシュルームを炒めてとり出す。
2. 卵を割りほぐし、塩、こしょう、1を混ぜる。
3. 小さめのフライパンを中火で熱し、オリーブ油をひいて2を流し入れる。大きく混ぜながら火を通し、半熟状になったら形を整えながら焼く。
4. 器に盛り、ケチャップを添える。

エネルギー	食物繊維	コレステロール	脂質	塩分
124kcal	1.6g	189mg	8.2g	1.1g

大豆もやしを加えてボリュームアップ
もやしと卵の甘酢あんかけ

材料（1人分）

大豆もやし	50g（1/4袋）
卵	50g（1個）
A　砂糖	小さじ1/2
塩	少々（0.3g）
こしょう	少々
サラダ油	小さじ1
B　だし	1/4カップ
酢	小さじ1
砂糖	小さじ1/2
しょうゆ	小さじ2/3
C　片栗粉	小さじ1/3
水	小さじ2

作り方［調理時間10分］

1. 大豆もやしはラップで包み、電子レンジ（600W）で30秒加熱する。器に卵を割りほぐし、Aを混ぜ、大豆もやしを加えてさらに混ぜ合わせる。

2. フライパンにサラダ油を入れて熱し、強火にして1を入れて大きく混ぜる。半熟状になったら平らにして両面焼き、器に盛る。
3. Bを煮立て、Cの水溶き片栗粉でとろみをつけ、ひと煮立ちさせたら、2にかける。

エネルギー	食物繊維	コレステロール	脂質	塩分
143kcal	1.2g	185mg	9.1g	1.1g

ツナのうまみと卵の甘みが際立つ
にんじんの卵炒め

材料（1人分）

にんじん	60g	(⅓本)
ツナ水煮缶	30g	(小½缶)
オリーブ油	小さじ1	
卵	50g	(1個)
塩	少々	(0.75g)
こしょう	少々	

作り方［調理時間10分］

1. にんじんはせん切りにし、ツナは汁けをきる。
2. フライパンを中火で熱してオリーブ油を入れ、にんじんを炒める。しんなりしたらツナを加えて炒め、塩、こしょうをふり、割りほぐした卵を加えてさらに炒め合わせる。

エネルギー	食物繊維	コレステロール	脂質	塩分
146kcal	1.4g	196mg	8.8g	1.2g

主菜｜卵のおかず

半熟卵を豆苗にからめながらいただく
巣ごもり卵焼き

材料（1人分）

豆苗 …………………… 50g（1/5袋）
オリーブ油 …………… 小さじ1/2
塩 ……………………… 少々（0.3g）
こしょう ……………… 少々
卵 ……………………… 50g（1個）
パルメザンチーズ …… 小さじ1/2

作り方[調理時間10分]

1. 豆苗は3等分の長さに切る。
2. フライパンを中火で熱しオリーブ油を入れ、1を炒める。塩、こしょうをふり、真ん中をくぼませる。卵を割り入れてパルメザンチーズをふってふたをする。弱火にして卵が半熟状になるまで焼く。

エネルギー	食物繊維	コレステロール	脂質	塩分
107kcal	1.1g	186mg	7.1g	0.5g

青のりがほんのり香る
青のり入り だし巻き卵

材料（3人分）

卵 ……………………… 150g（3個）
A｜みりん ……………… 小さじ1 1/2
　｜塩 …………………… 小さじ1/4
　｜だし ………………… 大さじ3
　｜青のり ……………… 小さじ1
サラダ油 ……………… 小さじ1/2
（以下1人分）
大根 …………………… 40g（1cm）
しょうゆ ……………… 小さじ1/4

作り方[調理時間15分]

1. 卵は割りほぐし、Aを混ぜ合わせる。大根はすりおろして軽く水けをきる。
2. フライパンを中火で熱し、サラダ油をひいてから1の卵液を適量流し入れ、端から巻くのを数回繰り返して焼き上げる。
3. 6等分に切り分け、1人分を器に盛る。大根おろしを添え、おろしにしょうゆをかける。

エネルギー	食物繊維	コレステロール	脂質	塩分
92kcal	0.6g	185mg	5.3g	1.0g

（1人分あたり）

> コラム

いろいろな料理に使える
たれ・ソース・ドレッシング

市販のたれや、ソース、ドレッシングは塩分量が高くなりがち。手作りなら塩分量がわかり、安心です。ここで紹介する13種のたれ・ソース・ドレッシングは、どれも簡単にできるものばかり。大さじ1使っても、塩分は0.1〜0.6gなので、肉や魚に、生野菜や温野菜に、好みでかけて楽しんで。

※栄養成分表示は大さじ1分で算出。

魚介類や肉などに合う万能だれ
カレーヨーグルトだれ

作り置き 冷蔵で3日間

材料（作りやすい分量）
- カレー粉…小さじ1/8
- ヨーグルト（無糖）…大さじ3
- にんにく（すりおろし）…少々
- 塩…少々（0.5g）

作り方
1 すべての材料をよく混ぜ合わせる。

エネルギー	食物繊維	コレステロール	脂質	塩分
9kcal	0.0g	1.7mg	0.4g	0.2g

野菜の和えものにおすすめ
ごましょうゆだれ

作り置き 冷蔵で3日間

材料（作りやすい分量）
- 黒すりごま…大さじ1
- しょうゆ…小さじ1
- 砂糖…小さじ1/4
- だし…大さじ2

作り方
1 すべての材料をよく混ぜ合わせる。

エネルギー	食物繊維	コレステロール	脂質	塩分
18kcal	0.3g	0mg	1.3g	0.3g

海藻の和えものに合う
三杯酢

作り置き 冷蔵で3日間

材料（作りやすい分量）
- A
  - 酢…大さじ2
  - 砂糖…大さじ1/2
  - 塩…少々（0.5g）
  - しょうゆ…小さじ1/2
  - 水…大さじ1 1/2
- だし昆布…2cm

作り方
1 Aをよく混ぜ合わせ、昆布を入れる。

エネルギー	食物繊維	コレステロール	脂質	塩分
10kcal	0.0g	0mg	0.0g	0.3g

肉や野菜にコクが加わる
お揚げしょうがしょうゆだれ

作り置き 冷蔵で3日間

材料（作りやすい分量）
- 油揚げ…4g（1/8枚）
- しょうが（薄切り）…2枚
- しょうゆ…小さじ1
- 酢…小さじ2
- みりん…小さじ1/2
- だし…大さじ2

作り方
1 油揚げは両面ともフライパンでさっと焼き、みじん切りにする。しょうがもみじん切りにする。
2 残りの材料と混ぜ合わせる。

エネルギー	食物繊維	コレステロール	脂質	塩分
11kcal	0.0g	0mg	0.4g	0.3g

生野菜のサラダなどにおすすめ
おろし玉ねぎドレッシング

作り置き 冷蔵で3日間

材料（作りやすい分量）
- 玉ねぎ…30g（1/6個）
- しょうゆ…小さじ1
- みりん…小さじ1/2
- 酢…小さじ1/2
- だし…大さじ2

作り方
1. 玉ねぎはすりおろす。
2. 1と残りの材料をよく混ぜ合わせる。

エネルギー	食物繊維	コレステロール	脂質	塩分
5kcal	0.1g	0mg	0.0g	0.2g

ゆで野菜や豆腐にぴったり
ねぎおかかだれ

作り置き 冷蔵で3日間

材料（作りやすい分量）
- 長ねぎ…20g（4cm）
- 削り節…1g（1/4袋）
- ごま油…小さじ1/2
- だし…大さじ2
- 塩…少々（0.5g）

作り方
1. 長ねぎはみじん切りにする。
2. 1と残りの材料をよく混ぜ合わせる。

エネルギー	食物繊維	コレステロール	脂質	塩分
10kcal	0.2g	0.7mg	0.7g	0.2g

ゆでたいも類や野菜、きゅうりの酢のものに
レンジきのこだれ

作り置き 冷蔵で3日間

材料（作りやすい分量）
- しいたけ…20g（1枚）
- えのきたけ…20g（1/5袋）
- しょうゆ…小さじ1/2
- みりん…小さじ1/4
- 酢…小さじ1
- だし…大さじ1

作り方
1. しいたけは角切りに、えのきたけは細かく刻む。
2. 耐熱性の器に1と残りの材料を入れて混ぜ、ラップをして電子レンジ（600W）で1分加熱する。

エネルギー	食物繊維	コレステロール	脂質	塩分
4kcal	0.4g	0mg	0.0g	0.1g

冷やししゃぶしゃぶにおすすめ
中華ドレッシング

作り置き 冷蔵で3日間

材料（作りやすい分量）
- 長ねぎ…10g（2cm）
- 赤唐辛子（輪切り）…1/4本分
- にんにく（みじん切り）…少々
- しょうゆ…小さじ2
- 酢…大さじ1
- ごま油…小さじ1
- オイスターソース…小さじ1/4
- 水…小さじ2、白いりごま…小さじ1/4

作り方
1. 長ねぎはみじん切りにする。
2. 1と残りの材料をよく混ぜ合わせる。

エネルギー	食物繊維	コレステロール	脂質	塩分
21kcal	0.1g	0mg	1.4g	0.6g

ゆでた肉や生野菜などにぴったり
梅だしドレッシング

作り置き 冷蔵で3日間

材料（作りやすい分量）
- 梅干し（18%塩分）…5g（1/2個）
- だし…大さじ2
- みりん…小さじ1/2
- 酢…小さじ1

作り方
1. 梅干しの果肉はよくたたく。
2. 1と残りの材料を混ぜ合わせる。

エネルギー	食物繊維	コレステロール	脂質	塩分
5kcal	0.1g	0mg	0.0g	0.4g

いろいろな料理に使える
たれ・ソース・ドレッシング

さしみのほか、肉や魚料理全般に
バジルソース

作り置き 冷蔵で3日間

材料（作りやすい分量）
パセリ（みじん切り）
　…大さじ1
バジルの葉（みじん切り）
　…4枚分
にんにく（みじん切り）
　…少々
パルメザンチーズ…小さじ½
塩…少々（0.5g）
こしょう…少々
オリーブ油…小さじ1
水…大さじ1

作り方
1 すべての材料を混ぜ合わせる。

エネルギー	食物繊維	コレステロール	脂質	塩分
21kcal	0.2g	1mg	2.2g	0.3g

鶏肉料理にぴったり
サルサソース

作り置き 冷蔵で3日間

材料（作りやすい分量）
トマト水煮缶（カット）…50g
玉ねぎ…10g（1/20個）
赤唐辛子（輪切り）
　…¼本分
ピーマン…8g（¼個）
にんにく（みじん切り）
　…少々
オリーブ油…小さじ1
A｜塩…少々（0.5g）
　｜酢…小さじ½
　｜こしょう…少々

作り方
1 玉ねぎはみじん切りに、ピーマンは粗みじん切りにする。
2 耐熱性の器に1とにんにく、オリーブ油を入れて混ぜ、ラップをせずに電子レンジ（600W）で30秒加熱する。トマト水煮、Aを混ぜ合わせる。

エネルギー	食物繊維	コレステロール	脂質	塩分
11kcal	0.8g	0mg	0.8g	0.1g

焼いたり蒸したりした白身魚にぴったり
イタリアンソース

作り置き 冷蔵で3日間

材料（作りやすい分量）
トマト…20g（⅛個）
にんにく（みじん切り）
　…少々
オリーブ油…小さじ1
レモン汁…小さじ2
バジル（みじん切り）…少々
バルサミコ酢…小さじ¼
塩…少々（0.5g）
こしょう…少々
水…大さじ1

作り方
1 トマトは種をとり、小さめの角切りにする。
2 1と残りの材料を混ぜ合わせる。

エネルギー	食物繊維	コレステロール	脂質	塩分
15kcal	0.1g	0mg	1.3g	0.2g

野菜サラダにかけて
レモンみそドレッシング

作り置き 冷蔵で3日間

材料（作りやすい分量）
レモン（薄い輪切り）
　…1枚
レモン汁…小さじ⅔
だし…大さじ2
みそ…小さじ1
砂糖…小さじ¼

作り方
1 レモンはいちょう切りにする。
2 1と残りの材料を混ぜ合わせる。

エネルギー	食物繊維	コレステロール	脂質	塩分
6kcal	0.2g	0mg	0.1g	0.3g

Part 4

おすすめ食材でコレステロール&中性脂肪値改善
副菜レシピ

コレステロール値や中性脂肪値改善におすすめの食材を使った86レシピを紹介。
野菜や海藻、きのこ、豆類など手に入れやすい身近な食材を使って
短時間で調理できるものばかりです。
またカット野菜や缶詰などを使った簡単レシピ35品も合わせて紹介。

【INDEX】
- ●副菜で使う食材の選び方…p.112〜113
- **緑黄色野菜**…p.114〜127
- **淡色野菜**…p.128〜131
- **いも類**…p.132〜135
- **海藻**…p.136〜140
- **きのこ**…p.141〜145
- **大豆製品・豆類**…p.146〜149

コラム
- 簡単レシピ35…p.150〜158
- コンビニ食品の上手な活用のしかた…p.159〜160

パプリカの甘酢炒め（p.125）

大豆もやしの青のり炒め（p.129）

ひじきとにんじんの山椒煮（p.139）

こんにゃくとごぼうのみそ煮（p.135）

副菜に使う食材の選び方

栄養のバランスをとるには、主菜と副菜でできるだけ多種類の食材を組み合わせると効果的です。副菜には、動脈硬化を防ぐ働きがある食物繊維や抗酸化成分を多く含む食材を多用しましょう。

1 抗酸化作用のある食材が救世主に！

抗酸化作用とは、体内での活性酸素の働きを抑える作用のこと。細胞や血中脂質の酸化を防ぎ、動脈硬化の進行を抑えるのに役立ちます。代表的な抗酸化成分には、ビタミンA・C・Eをはじめ、カロテノイド、アントシアニン、セサミン、イソフラボンなどのポリフェノールがあり、これらは<mark>緑黄色野菜やくだもの（特に皮の部分）</mark>などに多く含まれています。

▶動脈硬化の進行を防ぐ作用のある成分

ビタミンA（βカロテン）
脂溶性ビタミンで、抗酸化作用がある。βカロテンは体内でビタミンAに変わる。モロヘイヤ、にんじん、ほうれん草などの緑黄色野菜に多い。

ビタミンC
抗酸化作用とコレステロールを下げる働きがある。加熱調理で損なわれやすいため、生で食べると効率よくとれる。いちごやキウイフルーツ、レモンなどに多い。

ビタミンE
脂溶性ビタミンで、強い抗酸化作用がある。特に不飽和脂肪酸の酸化を防ぐ効果が高い。モロヘイヤ、かぼちゃ、アーモンド、オリーブ油などに多い。

ポリフェノール
大豆・大豆製品に含まれるイソフラボンやサポニン、ごまに含まれるセサミン、ブルーベリーやぶどうに多いアントシアニンなど、いずれも抗酸化作用にすぐれている。

2 野菜で食物繊維と抗酸化ビタミンをとる

野菜にはビタミンやポリフェノールなどの抗酸化成分に加え、食物繊維も豊富に含まれています。<mark>食物繊維には余分なコレステロールの排出を促す働きがあるため、1日350gを目標に積極的にとりたい</mark>もの。緑黄色野菜と淡色野菜には、それぞれすぐれた働きがあるので、両方をバランスよく組み合わせるのがよいでしょう。

緑黄色野菜 食物繊維やビタミンのほか、赤や黄、緑など色の濃い野菜の色素成分には抗酸化作用があるものが多い。

ブロッコリー　パプリカ　かぼちゃ　にんじん　など

淡色野菜 食物繊維は少なめだが、ビタミンをはじめ、カリウムなどのミネラルが豊富。抗酸化成分も多い。

もやし　キャベツ　玉ねぎ　きゅうり　など

中性脂肪が高めの人はいも類は少なめに

さつまいも、じゃがいもなどのいも類は、食物繊維やビタミンもたっぷり含まれていますが、ほかの野菜より糖質が多め。野菜だからといって食べすぎると中性脂肪値が上がりやすくなってしまいます。1日80gを目安に食べるようにします。

じゃがいも　さつまいも　里いも　など

3 海藻も動脈硬化予防におすすめ

わかめやひじき、昆布、もずくなどの海藻類は、低エネルギーで食物繊維が豊富なことから、コレステロール値や中性脂肪値が高い人、肥満傾向の人に最適の食材。

海藻類に含まれる食物繊維は水溶性食物繊維で、余分なコレステロールの排出を促します。また、ナトリウムの排出に役立つカリウムも豊富に含まれているので、高血圧の人にもおすすめ。抗酸化作用があるカロテノイドも多く含まれています。

▶海藻10gあたりのエネルギー量と食物繊維量

	わかめ(生)	ひじき(乾)	昆布(乾)	とろろ昆布(乾)
エネルギー	2kcal	18kcal	17kcal	18kcal
食物繊維	0.4g	5.2g	3.2g	2.8g

(「日本食品標準成分表2020年版(八訂)」より)

乾燥わかめやとろろ昆布は汁ものにも
海藻類は調理が面倒だと思われがちだが、乾物なら手軽で時短にも便利。乾燥わかめは水でもどし、酢のものや汁ものの具にできる。とろろ昆布はそのままお浸しのトッピングにしたり、お吸いものやみそ汁などの汁ものに入れたりしてもOK。

4 低エネルギー・高食物繊維のきのこも取り入れよう

しいたけ、しめじ、えのきたけ、まいたけ、エリンギなどのきのこも、コレステロール値や中性脂肪値が高い人にはおすすめの食材です。低エネルギーで食物繊維が多いうえ、和・洋・中のどの献立にも使いやすく、コレステロールや血圧を下げる働きがある成分も含まれています。

また、糖質や脂質の代謝に欠かせないビタミンB群や、カルシウムの吸収を促すビタミンDも多く含まれています。

▶きのこ100gあたりのエネルギー量と食物繊維量

	しいたけ	まいたけ	エリンギ	ぶなしめじ
エネルギー	25kcal	22kcal	31kcal	22kcal
食物繊維	4.9g	3.5g	3.4g	3.5g

(「日本食品標準成分表2020年版(八訂)」より)

5 主菜が魚や肉のときは、副菜に大豆製品をプラス

大豆や大豆製品はコレステロール値を下げる働きがあるため、積極的にとりたい食材です(p.55)。調理する時間がなくても納豆なら手間がかかりませんし、豆腐を冷ややっこにすればプラス1品が簡単に。大豆の水煮は、サラダや煮ものにすぐ使えます。

また牛乳代わりに豆乳を飲むのもおすすめです。

おろし納豆 →p.146
アボカドやっこ →p.149
炒りおから →p.148

➡ 大豆製品を使った副菜はp.146〜149

緑黄色野菜は食物繊維をはじめ、抗酸化作用があるビタミンA・C・Eも豊富。動脈硬化予防のためにも、毎食コンスタントにとるようにしましょう。

緑黄色野菜

ほうれん草などほかの青菜でも作れる
小松菜のしょうが浸し

材料（1人分）

- 小松菜 …………… 70g（⅓束）
- A
  - しょうが（すりおろし）… 小さじ¼
  - しょうゆ ………… 小さじ½
  - 削り節 …………… 2つまみ

作り方［調理時間5分］

1. 小松菜はゆでて3cm長さに切る。
2. 1とAを混ぜ合わせる。

エネルギー	食物繊維	コレステロール	脂質	塩分
13kcal	1.4g	1mg	0.1g	0.4g

にんにくがきいた炒めもの
小松菜のにんにく炒め

材料（1人分）

- 小松菜 …………… 70g（2株弱）
- にんにく …………… ¼かけ
- ごま油 …………… 小さじ⅓
- A
  - ナンプラー ……… 小さじ⅓
  - こしょう ………… 少々

作り方［調理時間5分］

1. 小松菜は3cm長さに切り、にんにくは薄切りにする。
2. フライパンを中火で熱してごま油をひき、1を炒める。火が通ったらAを加え、炒め合わせる。

エネルギー	食物繊維	コレステロール	脂質	塩分
25kcal	1.5g	0mg	1.4g	0.5g

動脈硬化を予防するコツ

緑黄色野菜を積極的に食べよう

緑黄色野菜には、コレステロール値を改善する食物繊維はもちろん、ビタミン類やカリウムなどのミネラルも豊富。とくにビタミンCには強力な抗酸化力があり、血管や細胞を守ってくれます。

副菜 / 緑黄色野菜（青菜）

切ってちぎって和えるだけの簡単料理
水菜とのりのナムル

材料（1人分）

水菜		40g（2株）
焼きのり		¼枚
A	ごま油	小さじ¼
	粉唐辛子	少々
	塩	少々（0.3g）
白いりごま		適量

作り方［調理時間5分］

1. 水菜は3cm長さに切る。のりは食べやすい大きさに手でちぎる。
2. Aと混ぜ合わせ、器に盛り、白ごまをちらす。

エネルギー	食物繊維	コレステロール	脂質	塩分
21kcal	1.5g	0mg	1.1g	0.3g

たっぷりのなめたけが調味料代わり
春菊のおろしなめたけかけ

材料（1人分）

春菊	60g（½束）
大根	40g（1cm）
なめたけ	15g

作り方［調理時間10分］

1. 春菊はさっとゆで、3cm長さに切る。大根はすりおろして軽く水けをきる。
2. 春菊と大根おろしを混ぜて器に盛り、なめたけをかける。

エネルギー	食物繊維	コレステロール	脂質	塩分
29kcal	3.0g	0mg	0.1g	0.7g

ちくわの塩けと唐辛子のピリ辛がポイント
チンゲン菜とちくわのピリ辛煮

材料（1人分）

チンゲン菜		80g（小1株）
ちくわ		10g（½本）
A	だし	¼カップ
	赤唐辛子（輪切り）	¼本分
	しょうゆ	小さじ½
	みりん	小さじ1

作り方［調理時間15分］

1. チンゲン菜はゆでて食べやすい長さに切る。ちくわは3mm厚さの輪切りにする。
2. 鍋にAを入れて中火で煮立て、1を加えてふたをする。沸騰したら弱火で4～5分煮る。

エネルギー	食物繊維	コレステロール	脂質	塩分
37kcal	1.0g	3mg	0.3g	0.8g

ごまとみその和え衣の甘さがほうれん草に合う
ほうれん草とコーンのごまみそ和え

材料（1人分）

ほうれん草 ………… 60g（1/5束）
コーン（冷凍） ………… 20g
A｜黒すりごま ……… 小さじ2/3
　｜みそ ……………… 小さじ2/3
　｜砂糖 ……………… 小さじ1/4

作り方［調理時間 10分］

1. ほうれん草はゆでて3cm長さに切る。コーンもさっとゆでる。
2. Aを混ぜ合わせ、1と和える。

エネルギー	食物繊維	コレステロール	脂質	塩分
51kcal	3.1g	0mg	1.6g	0.5g

アボカドのトロッとした食感がアクセントに
ほうれん草とアボカドの粒マスタード和え

材料（1人分）

ほうれん草 ………… 60g（3株）
アボカド …………… 30g（1/5個）
粒マスタード ……… 小さじ1/2
しょうゆ …………… 小さじ1/3

作り方［調理時間 5分］

1. ほうれん草はゆでて3cm長さに切る。アボカドは乱切りにする。
2. 1を粒マスタード、しょうゆと混ぜ合わせる。

エネルギー	食物繊維	コレステロール	脂質	塩分
73kcal	3.4g	0mg	5.3g	0.4g

コレステロール値を下げるコツ

アボカドには不飽和脂肪酸がたっぷり

「森のバター」といわれるアボカドには、脂質、とくに不飽和脂肪酸が多く含まれています。さらに抗酸化力をもつビタミンEも。血管や細胞の酸化を抑え、コレステロール値を改善し、動脈硬化を予防する効果が大いに期待できます。

副菜 緑黄色野菜（青菜・アスパラ）

粉チーズは調味料として使えるすぐれもの
アスパラのチーズ炒め

材料（1人分）

アスパラガス ………… 60g（4本）
オリーブ油 …………… 小さじ⅓
パルメザンチーズ …… 小さじ1
塩 ……………………… 少々（0.3g）
こしょう ……………… 少々

作り方［調理時間5分］

1. アスパラガスはかたい部分を切り、ハカマをそいで長さを3等分に切り、さらに縦に薄切りにする。
2. フライパンを中火で熱し、オリーブ油を入れてアスパラガスを炒める。火が通ったら、塩、こしょう、パルメザンチーズを加えて炒め合わせる。

エネルギー	食物繊維	コレステロール	脂質	塩分
33kcal	1.1g	2mg	2.0g	0.4g

甘辛味がくせになるおいしさ
アスパラとわかめのからしみそ和え

材料（1人分）

アスパラガス ………… 45g（3本）
わかめ（塩蔵）………… 5g
A｜酢 ………………… 小さじ½
　｜みそ ……………… 小さじ¾
　｜砂糖 ……………… 小さじ¼
　｜練りからし ……… 少々

作り方［調理時間10分（わかめをもどす時間除く）］

1. アスパラガスはかたい部分を切り、ハカマをそいでゆで、斜め切りにする。わかめは洗って水でもどし、さっと湯通しする。水にとり、ひと口大に切る。
2. Aをよく混ぜ、1と合わせる。

エネルギー	食物繊維	コレステロール	脂質	塩分
25kcal	1.3g	0mg	0.4g	0.7g

さわやかなオレンジの酸味が味のアクセントに
にんじんとオレンジのサラダ

材料（1人分）
にんじん	50g	(大¼本)
オレンジ	30g	(約⅓個)
A はちみつ	小さじ½	
酢	小さじ1	
塩	少々 (0.3g)	
こしょう	少々	

作り方 ［調理時間5分（なじませる時間除く）］
1. にんじんはせん切りに、オレンジは大きめにほぐす。
2. Aと混ぜ合わせ、10分くらい味をなじませる。

エネルギー	食物繊維	コレステロール	脂質	塩分
42kcal	1.4g	0mg	0.1g	0.3g

ごまの香りがにんじんの甘みを引き立てる
にんじんのしょうがごま和え

材料（1人分）
にんじん	60g	(⅓本)
A しょうが(すりおろし)	小さじ⅕	
白すりごま	小さじ½	
しょうゆ	小さじ½	
砂糖	少々 (0.4g)	

作り方 ［調理時間10分］
1. にんじんは短冊切りにして、ゆでる。
2. Aと混ぜ合わせる。

エネルギー	食物繊維	コレステロール	脂質	塩分
31kcal	1.7g	0mg	0.9g	0.5g

動脈硬化を予防するコツ

βカロテンが動脈硬化の進行を抑える

にんじんには抗酸化力の強いβカロテンが多く含まれていて、コレステロールが血管にたまることがないため、動脈硬化の進行を抑えるのに役立ちます。油で炒めると、カロテンの吸収はよりよくなります。

副菜 | 緑黄色野菜（にんじん）

山椒のしびれる風味がピリリときいている
にんじんの山椒きんぴら

材料（1人分）

にんじん ………… 60g（⅓本）
サラダ油 ………… 小さじ¼
A ┌ 酒・みりん ……… 各小さじ½
  │ 塩 ……………… 少々（0.3g）
  └ 粉山椒 ………… 少々

作り方[調理時間5分]

1. にんじんは、細めの短冊切りにする。
2. フライパンを中火で熱し、サラダ油を入れてにんじんを炒める。Aを加え、炒め合わせる。

エネルギー	食物繊維	コレステロール	脂質	塩分
37kcal	1.4g	0mg	1.1g	0.4g

ウスターソースの香りが食欲をそそる
にんじんのソース炒め

材料（1人分）

にんじん ………… 50g（大¼本）
エリンギ ………… 20g（½本）
オリーブ油 ……… 小さじ¼
ウスターソース …… 小さじ1

作り方[調理時間10分]

1. にんじん、エリンギはそれぞれ少し太めのせん切りにする。
2. フライパンを中火で熱し、オリーブ油を入れて1を炒める。ウスターソースを加え、さらに炒め合わせる。

エネルギー	食物繊維	コレステロール	脂質	塩分
37kcal	1.9g	0mg	1.1g	0.6g

お弁当のごはんにのせてもおいしい
にんじんとツナのふりかけ

作り置き 冷蔵で3日間

材料（2人分）

にんじん ………… 100g（大½本）
ツナ水煮缶 ……… 30g（小½缶）
酒 ………………… 小さじ2
しょうゆ ………… 小さじ⅔

作り方[調理時間10分]

1. にんじんはすりおろし、ツナは水けをきる。
2. フッ素樹脂加工のフライパンに1を入れ、酒を加えて中火〜弱火で混ぜながら炒める。水けがなくなったらしょうゆを加え、混ぜ合わせる。

エネルギー	食物繊維	コレステロール	脂質	塩分
33kcal	1.2g	6mg	0.3g	0.4g

（1人分あたり）

トマトとごまの相性ぴったり！
ミニトマトのごま和え

材料（1人分）

ミニトマト	……………	60g（4個）
A 黒すりごま	………	小さじ½
しょうゆ	…………	小さじ½
砂糖	…………………	小さじ⅙

作り方［調理時間 **5**分］

1 ミニトマトはへたをとって、縦半分に切る。
2 1とAと混ぜ合わせる。

エネルギー	食物繊維	コレステロール	脂質	塩分
31kcal	1.0g	0mg	0.9g	0.4g

酢をきかせたさっぱり和えもの
トマトのおろし和え

材料（1人分）

トマト	……………	80g（½個）
大根	………………	40g（1cm）
酢	…………………	小さじ½
塩	…………………	少々（0.3g）

作り方［調理時間 **5**分］

1 トマトは乱切りにする。大根はすりおろして、軽く水けをきる。
2 1と酢、塩を混ぜ合わせる。

エネルギー	食物繊維	コレステロール	脂質	塩分
23kcal	1.3g	0mg	0.1g	0.3g

コレステロール値を下げるコツ

そのまま食べられるものを常備する
毎日食べたい野菜やくだもののなかでも、そのまま食べられるトマトやきゅうり、キウイフルーツなどを、冷蔵庫に常備しておくとよいでしょう。簡単に食物繊維などの栄養成分をとることができます。

副菜｜緑黄色野菜（トマト）

炒めることでトマトのうまみが引き立つ
トマトのしょうゆ炒め

材料（1人分）
トマト …………… 80g（½個）
オリーブ油 ………… 小さじ½
しょうゆ …………… 小さじ½
みょうが …………… 20g（1個）

作り方［調理時間5分］
1. トマトはくし形に切り、みょうがは太めのせん切りにする。
2. フライパンを中火で熱し、オリーブ油を入れてトマトを炒める。火が通ったらしょうゆとみょうがを加えて炒め合わせる。

エネルギー	食物繊維	コレステロール	脂質	塩分
38kcal	1.2g	0mg	2.1g	0.4g

トマトは火を通すと甘みが強くなる
ミニトマトのおだし煮

材料（1人分）
ミニトマト ………… 80g（小7個）
A｜だし …………… ¼カップ
　｜みりん・しょうゆ … 各小さじ⅔

作り方［調理時間5分］
1. ミニトマトはへたをとる。
2. 鍋にAを入れて中火で煮立て、1を入れて皮が割れるまで煮る。

エネルギー	食物繊維	コレステロール	脂質	塩分
38kcal	1.1g	0mg	0.1g	0.6g

火を使わないで作る簡単料理
トマトのケチャップレモンサラダ

材料（1人分）
トマト …………… 80g（½個）
玉ねぎ（みじん切り） …… 小さじ1
ケチャップ ………… 小さじ1½
レモン（薄切り） ……… 1枚
赤唐辛子（みじん切り） ‥ 少々

作り方［調理時間5分］
1. トマトは乱切り、レモンはいちょう切りにする。
2. 玉ねぎ、ケチャップ、唐辛子と1を混ぜ合わせる。

エネルギー	食物繊維	コレステロール	脂質	塩分
28kcal	1.2g	0mg	0.1g	0.2g

食物繊維やビタミンがしっかりとれる
ブロッコリーの しそしょうゆ和え

材料（1人分）
ブロッコリー ……… 60g（¼株）
しそ ……………… 2枚
しょうゆ …………… 小さじ½

作り方 [調理時間5分]
1. ブロッコリーは小房に分けてゆでる。しそは、粗みじん切りにする。
2. 1をしょうゆと混ぜ合わせる。

エネルギー	食物繊維	コレステロール	脂質	塩分
25kcal	3.2g	0mg	0.2g	0.4g

食物繊維をとるコツ
野菜は加熱するとたくさんとりやすい
野菜は生で食べるだけでなく、ゆでたり蒸したり、少量の油で炒めたりすると、カサが減るので、多くの量を食べられるようになります。

ブロッコリーは薄切りにして加熱時間を短縮
ブロッコリーのえび炒め

材料（1人分）
ブロッコリー ……… 60g（¼株）
さくらえび ………… 0.3g（2つまみ）
ごま油 ……………… 小さじ⅓
酒 …………………… 小さじ1
塩 …………………… 少々

作り方 [調理時間10分]
1. ブロッコリーは小房に分け、さらに薄切りにする。さくらえびは粗く刻む。
2. フライパンを中火で熱し、ごま油を入れてブロッコリーとえびを炒める。酒をふりかけてふたをし、弱火で1分蒸し焼きにする。塩を加えて炒め合わせる。

エネルギー	食物繊維	コレステロール	脂質	塩分
40kcal	3.1g	2mg	1.5g	0.3g

副菜 | 緑黄色野菜（ブロッコリー）

粒マスタードが味の決め手
ブロッコリーと玉ねぎのサラダ

材料（1人分）

ブロッコリー	50g	(1/5株)
玉ねぎ	20g	(1/10個)
A 粒マスタード	小さじ1/2	
酢	小さじ1/2	
塩	少々(0.3g)	
オリーブ油	小さじ1/4	

作り方[調理時間10分]

1. ブロッコリーは小房に分けてゆでる。玉ねぎは薄切りにして水にさらし、水けをきる。
2. よく混ぜ合わせたAと1を和える。

エネルギー	食物繊維	コレステロール	脂質	塩分
42kcal	2.9g	0mg	1.7g	0.4g

カッテージチーズを使えば、豆腐より濃厚に
ブロッコリーの洋風白和え

材料（1人分）

ブロッコリー	60g	(1/4株)
A カッテージチーズ(裏ごしタイプ)	40g	
砂糖	小さじ1/4	
白練りごま	小さじ1/2	

作り方[調理時間10分]

1. ブロッコリーは小房に分けてゆでる。
2. 混ぜ合わせたAと1を和える。

エネルギー	食物繊維	コレステロール	脂質	塩分
81kcal	3.3g	8mg	3.2g	0.4g

> **減塩のコツ**
>
> **低脂肪のカッテージチーズでコクを出す**
>
> カッテージチーズは、生乳から脂肪分を除いた脱脂乳から作られるチーズです。低脂肪、低塩分なのにコクがあるため、サラダや和えものに使うと食材によくからんで味に深みが出て、よりおいしく食べられます。

油揚げを口に入れると煮汁がじゅわっと出てくる
ピーマンと油揚げの煮もの

材料（1人分）

ピーマン	……………	60g（2個）
油揚げ	……………	5g（⅙枚）
A	だし	大さじ3
	みりん	小さじ½
	しょうゆ	小さじ½

作り方［調理時間10分］

1. ピーマンは食べやすい大きさに、油揚げは短冊切りにする。
2. 鍋にAを入れ、1も加えて混ぜ合わせてふたをし、中火にかける。沸騰したら弱火にし、7～8分煮る。

エネルギー	食物繊維	コレステロール	脂質	塩分
41kcal	1.4g	0mg	1.7g	0.5g

しらすと塩こしょうで簡単に味が決まる
ピーマンとしらすの
にんにく炒め

材料（1人分）

ピーマン	……………	60g（2個）
しらす	……………	大さじ1
にんにく（薄切り）	……	2枚
オリーブ油	…………	小さじ⅓
塩・こしょう	………	各少々

作り方［調理時間5分］

1. ピーマンは太めのせん切りに、にんにくはみじん切りにする。
2. フライパンを中火で熱し、オリーブ油を入れてにんにくとピーマンを炒める。しらすと塩、こしょうを加えて、さらに炒め合わせる。

エネルギー	食物繊維	コレステロール	脂質	塩分
32kcal	1.5g	13mg	1.4g	0.5g

動脈硬化を予防するコツ

ピーマンは血管を守る効果のある成分が豊富

ピーマンの苦み成分ピラジンの香りには、血流改善効果が。またピーマンに含まれるビタミンCは加熱に強く、動脈硬化を予防する働きも。食物繊維も豊富です。

副菜 | 緑黄色野菜（ピーマン・パプリカ）

野菜を大きく切るから食べごたえあり！
ラタトゥイユ

材料（1人分）

玉ねぎ	30g	(1/6個)
パプリカ(赤)	80g	(1/2個強)
にんにく(薄切り)	1枚	
なす	40g	(1/2個)
オリーブ油	小さじ1/2	
A トマト水煮缶(カット)	50g	
水	大さじ2	
こしょう・バジル・タイム	各少々	
塩	少々	(0.5g)

作り方 ［調理時間30分］

1. 玉ねぎは1.5cm角の角切りに、パプリカは乱切りに、にんにくはみじん切りに、なすは食べやすい大きさに切る。
2. 鍋にオリーブ油とにんにくを入れて中火で熱し、玉ねぎを炒める。しんなりしてきたら、なすとパプリカを加えて炒め、Aを入れてふたをする。沸騰したら弱火にして10分くらい煮る。塩を加えて混ぜ合わせる。

エネルギー	食物繊維	コレステロール	脂質	塩分
69kcal	3.3g	1mg	2.3g	0.5g

さっぱりした甘酢とパプリカの甘みが合う
パプリカの甘酢炒め

材料（1人分）

パプリカ(赤)	50g	(1/4個弱)
ごま油	小さじ1/3	
A 酢	小さじ1	
砂糖	小さじ1/3	
しょうゆ	小さじ1/3	

作り方 ［調理時間5分］

1. パプリカは太めのせん切りにする。
2. フライパンを中火で熱し、ごま油を入れてパプリカを炒めて火を通す。火を止め、Aを加え、余熱で炒め合わせる。

エネルギー	食物繊維	コレステロール	脂質	塩分
34kcal	0.8g	0mg	1.4g	0.3g

味付きザーサイがあれば調味料いらず
いんげんのザーサイ炒め

材料（1人分）

いんげん	50g（8〜10本）
ザーサイ（味付き）	5g
長ねぎ	10g（2cm）
ちりめんじゃこ	大さじ1
ごま油	小さじ½
酒	小さじ1
こしょう	少々

作り方［調理時間15分］

1. いんげんは斜め薄切りに、ザーサイと長ねぎはみじん切りにする。
2. フライパンを中火で熱し、ごま油を入れ、いんげんを炒める。ちりめんじゃこ、長ねぎ、ザーサイ、酒を加え、炒め合わせる。こしょうで味を調える。

エネルギー	食物繊維	コレステロール	脂質	塩分
51kcal	1.7g	20mg	2.2g	0.6g

からしマヨが野菜に合う！
スナップえんどうのからしマヨ和え

材料（1人分）

スナップえんどう	40g
A 練りからし	少々
マヨネーズ	小さじ1
しょうゆ	小さじ⅓

作り方［調理時間10分］

1. スナップえんどうは筋をとってゆで、縦半分に割る。
2. Aを混ぜ合わせ、1と和える。

エネルギー	食物繊維	コレステロール	脂質	塩分
49kcal	1.0g	6mg	3.0g	0.4g

副菜 緑黄色野菜（いんげん・スナップえんどう・かぼちゃ）

かぼちゃの甘みとほくほく感が楽しめる
かぼちゃとみょうがのサラダ

材料（1人分）

かぼちゃ（種とワタをとったもの）	80g
みょうが	10g（½個）
A ヨーグルト（無糖）	大さじ1
マヨネーズ	小さじ1
塩	少々（0.3g）
こしょう	少々

作り方［調理時間10分（冷ます時間除く）］

1. かぼちゃはラップに包んで電子レンジ（600W）で2分加熱し、スプーンなどで粗めにつぶして冷ます。みょうがは小口切りにする。
2. Aと、1を混ぜ合わせる。

エネルギー	食物繊維	コレステロール	脂質	塩分
99kcal	3.0g	7mg	3.5g	0.4g

カレー風味とレモンの酸味が新鮮!
かぼちゃのカレーレモン煮

材料（1人分）

かぼちゃ（種とワタをとったもの）	80g
A カレー粉	0.2g（2つまみ）
水	大さじ2
レモン（薄い半月切り）	2枚
塩	少々（0.3g）
砂糖	小さじ¼

作り方［調理時間20分］

1. かぼちゃはひと口大に切り、耐熱性の器にAとともに入れて混ぜ、落としラップをする。
2. 電子レンジ（600W）で2分程度加熱し、2分くらいそのままにして蒸らす。そのあとよく混ぜ合わせる。

エネルギー	食物繊維	コレステロール	脂質	塩分
68kcal	3.1g	0mg	0.2g	0.3g

水溶性の食物繊維にはコレステロール値を下げる、便通を整えるなどの効果が。淡色野菜は低エネルギーなので、おなかいっぱい食べられます。

淡色野菜

作り置き 冷蔵で3日間

噛むほどに味わい深い
ごぼうの土佐煮

材料（1人分）

ごぼう	50g（⅓本）
削り節	1g（¼袋）
A だし	¼カップ
砂糖	小さじ¼
酒	小さじ2
しょうゆ	小さじ½

作り方［調理時間20分］

1. ごぼうは細めの乱切りにして水にさらし、水けをきる。
2. 鍋にAと1を入れてふたをして中火にかける。沸騰したら弱火で5分くらい煮る。ふたをとり、火を強めて煮汁をとばしながらからめる。水分がなくなってきたら、削り節を加えて混ぜ合わせる。

エネルギー	食物繊維	コレステロール	脂質	塩分
49kcal	2.9g	2mg	0.1g	0.5g

ごぼうはたたいて味をしみこみやすく
たたきごぼうの南蛮漬け

材料（1人分）

ごぼう	50g（⅓本）
A だし	大さじ1
酢	小さじ1
しょうゆ	小さじ1
みりん	小さじ½
砂糖	小さじ⅕
赤唐辛子（輪切り）	3つ

作り方［調理時間10分（漬けこむ時間除く）］

1. ごぼうはゆでてから麺棒でたたき、3cm長さに切る。
2. 耐熱性の器にAを入れ、ラップをせずに電子レンジ（600W）で30秒加熱したあと、1と赤唐辛子を混ぜ、20分程度漬けこむ。

エネルギー	食物繊維	コレステロール	脂質	塩分
40kcal	2.9g	0mg	0.1g	0.6g

作り置き 冷蔵で3日間

副菜 | 淡色野菜（ごぼう・大豆もやし）

青のりの風味豊かな一品
大豆もやしの青のり炒め

材料（1人分）

大豆もやし ………… 80g（2/5袋）
青のり ……………… 小さじ1/2
オリーブ油 ………… 小さじ1/2
しょうゆ …………… 小さじ1/3

作り方［調理時間 **5**分］

1. フライパンを中火で熱してオリーブ油を入れ、大豆もやしを炒める。火が通ったら、青のりとしょうゆを加え、炒め合わせる。

エネルギー	食物繊維	コレステロール	脂質	塩分
44kcal	2.0g	0mg	3.0g	0.3g

ザーサイと大豆もやしの食感が楽しめる
大豆もやしのザーサイ和え

材料（1人分）

大豆もやし ………… 80g（2/5袋）
ザーサイ（味付き） …… 5g
塩 …………………… 少々
ラー油 ……………… 少々

作り方［調理時間 **10**分（冷ます時間除く）］

1. 大豆もやしはラップで包み、電子レンジ（600W）で1分30秒加熱し、冷ます。
2. ザーサイはせん切りにし、1、塩、ラー油と混ぜ合わせる。

エネルギー	食物繊維	コレステロール	脂質	塩分
31kcal	2.0g	0mg	1.7g	0.6g

食物繊維をとるコツ

緑豆もやしより大豆もやしを
大豆もやしは、大豆を発芽させたもので、太くて長く、噛みごたえがあるのが特徴です。緑豆もやしに比べて食物繊維量が1.8倍と豊富です。

ぽん酢とごま油をかけるだけで味が決まる！
スライス玉ねぎとオクラのぽん酢かけ

材料（1人分）

玉ねぎ	30g（1/6個）
オクラ	45g（大3本）
ぽん酢しょうゆ	小さじ1
ごま油	小さじ1/4

作り方[調理時間5分]

1. 玉ねぎはせん切りにし、水に軽くさらして水けをしっかりきる。オクラはさっとゆで、斜め薄切りにする。
2. 器に盛り、ぽん酢とごま油をかける。

エネルギー	食物繊維	コレステロール	脂質	塩分
34kcal	2.7g	0mg	1.0g	0.5g

しょうゆの香ばしさでおいしさアップ
玉ねぎの照り焼き

材料（1人分）

玉ねぎ	40g（1/5個）
ごま油	小さじ1/2
しょうゆ	小さじ1/2
みりん	小さじ1/2

作り方[調理時間5分]

1. 玉ねぎは輪切りにする。
2. フライパンを中火で熱してごま油をひき、玉ねぎを入れて両面ともこんがり焼く。火を止め、混ぜ合わせておいたしょうゆ、みりんを加え、からめる。

エネルギー	食物繊維	コレステロール	脂質	塩分
41kcal	0.6g	0mg	2.0g	0.4g

動脈硬化を予防するコツ

辛み成分に血流改善効果が

玉ねぎの辛み成分硫化アリルには、動脈硬化を防いで血液循環をよくする効果があるといわれています。また、体を元気にする作用も。

副菜 | 淡色野菜（玉ねぎ・れんこん）

山椒塩の風味がクセになる
焼きれんこんの山椒塩かけ

材料（1人分）

れんこん	50g	(¼節)
粉山椒	少々	
塩	少々	(0.3g)

作り方[調理時間5分]

1. れんこんは薄い半月切りにしてさっと水にさらし、水けをきる。
2. フライパンを熱し、1を両面とも焼いて火を通す。
3. 山椒と塩を混ぜ、器に盛ったれんこんにかける。

エネルギー	食物繊維	コレステロール	脂質	塩分
33kcal	1.0g	0mg	0.0g	0.3g

ごまのコクで満足感アップ
れんこんのごまみそきんぴら

材料（1人分）

れんこん	60g	(⅓節強)
ごま油	小さじ½	
A 白すりごま	小さじ¼	
みそ	小さじ½	
砂糖	小さじ¼	
酒	小さじ1	

作り方[調理時間10分]

1. れんこんはいちょう切りにしてさっと水にさらし、水けをきる。
2. フライパンに1を入れてから炒りし、ごま油を加えて炒める。さらにAを加えて、炒め合わせる。

エネルギー	食物繊維	コレステロール	脂質	塩分
76kcal	1.4g	0mg	2.6g	0.4g

食物繊維をはじめ、ビタミンCやカリウムなどが含まれ、冠動脈疾患を予防し、血圧を正常に保つなどの働きがあります。抗酸化作用もあるので、積極的に食べましょう。

いも類

つぶした里いもを和え衣に加えて
里いものとも和え

材料（1人分）
里いも（皮つき）	………	120g（中2個）
A みそ	…………	小さじ⅔
白すりごま	………	小さじ½
砂糖	……………	小さじ⅛
だし	……………	小さじ2
焼きのり	…………	¼枚

作り方［調理時間15分］

1. 里いもはよく洗い、ラップで包んで電子レンジ（600W）で4分加熱する。のりは、適当な大きさにちぎる。
2. 1の里いもは、皮をむいて半分はつぶし、Aと混ぜ合わせる。
3. 残りの半分は乱切りにし、1ののりと2と混ぜ合わせる。

エネルギー	食物繊維	コレステロール	脂質	塩分
73kcal	3.0g	0mg	1.1g	0.5g

材料をすべて鍋に入れて煮るだけ
里いものねぎ塩煮

材料（1人分）
里いも	…………	100g（2個）
長ねぎ	…………	20g（4㎝）
削り節	…………	1g（¼袋）
塩	……………	少々（0.6g）
水	……………	½カップ
ごま油	…………	小さじ¼

作り方［調理時間15分］

1. 里いもは乱切りにし、塩（分量外）でぬめりを洗い流す。長ねぎはみじん切りにする。
2. 鍋にすべての材料を入れてふたをし、中火にかける。沸騰したら弱火にして里いもがやわらかくなるまで煮る。

エネルギー	食物繊維	コレステロール	脂質	塩分
72kcal	2.8g	2mg	1.1g	0.6g

副菜 | いも類（里いも・さつまいも）

ほのかなはちみつの甘さがうれしい

さつまいもの
はちみつレモン煮

材料（1人分）
さつまいも …………… 60g（中¼本）
レモン（薄い輪切り）…… 1枚
はちみつ …………… 小さじ⅓
水 ………………… 大さじ1

作り方［調理時間10分］
1. さつまいもは食べやすい大きさに切り、水にさらして水けをきる。レモンはいちょう切りにする。
2. 耐熱性の器に1と、水、はちみつを入れて混ぜ、ラップをして電子レンジ（600W）で2分加熱する。2分蒸らしたら、再度混ぜ合わせる。

エネルギー	食物繊維	コレステロール	脂質	塩分
86kcal	1.9g	0mg	0.1g	0.1g

バターのコクと風味が豊か

さつまいもの
バターしょうゆ煮

材料（1人分）
さつまいも …………… 60g（中¼本）
A｜バター ………… 小さじ¼
　｜しょうゆ ……… 小さじ⅓
　｜みりん ………… 小さじ⅓
　｜水 …………… 大さじ1

作り方［調理時間10分］
1. さつまいもは乱切りにし、水にさらして水けをきる。
2. 耐熱性の器に1とAを入れて混ぜ、落としラップをして電子レンジ（600W）で2分加熱する。2分蒸らして再度混ぜ合わせる。

エネルギー	食物繊維	コレステロール	脂質	塩分
90kcal	1.7g	2mg	0.8g	0.4g

しゃきしゃきした歯ごたえが楽しい
せん切りじゃがいもの酢炒め

材料（1人分）

じゃがいも	……………	100g（中1個）
A｜酢	……………	小さじ2
｜砂糖	……………	小さじ1/6
｜塩	……………	少々（0.3g）
サラダ油	……………	小さじ1/2

作り方［調理時間 **10**分］

1. じゃがいもはせん切りにして水にさらし、水けをきる。
2. フライパンを中火で熱し、サラダ油を入れてじゃがいもを炒める。透き通ってきたら、Aを加えて炒め合わせる。

エネルギー	食物繊維	コレステロール	脂質	塩分
85kcal	8.9g	0mg	1.9g	0.3g

ヨーグルトを加えて脂質を抑える
ポテトサラダ

材料（1人分）

じゃがいも	……………	100g（中1個）
にんじん	……………	20g（2cm）
きゅうり	……………	30g（1/3本）
A｜ヨーグルト（無糖）	…	大さじ1
｜マヨネーズ	………	小さじ1
｜塩	……………	少々（0.3g）
｜こしょう	…………	少々

作り方［調理時間 **20**分（冷ます時間除く）］

1. じゃがいもはひと口大に切り、水にさらす。にんじんは角切りに、きゅうりは小口切りにする。
2. じゃがいもとにんじんは、やわらかくなるまでゆでる。水けをきって鍋に戻し、から炒りして水けをとばし、そのまま冷ます。
3. きゅうりと2、Aを混ぜ合わせる。

エネルギー	食物繊維	コレステロール	脂質	塩分
104kcal	9.7g	7mg	3.3g	0.4g

副菜 | いも類（じゃがいも・しらたき・こんにゃく）

しょうがと酢がきいたさっぱり和えもの
しらたきとパプリカのしょうが酢和え

材料（1人分）

しらたき	60g	(3/8袋)
パプリカ(赤)	20g	(1/9個)
しょうが(薄切り)	1枚	
A 酢	小さじ2	
砂糖	小さじ1/3	
塩	少々 (0.3g)	

作り方[調理時間10分]

1. しらたきは食べやすい長さに切って熱湯でゆで、ざるにあげる。熱いうちにAを混ぜる。
2. パプリカはせん切りにして、さっとゆでる。
3. しょうがもせん切りにして、1、2と合わせる。

エネルギー	食物繊維	コレステロール	脂質	塩分
20kcal	2.1g	0mg	0.0g	0.3g

ほんのりとしたみその香りとごぼうの風味が絶妙
こんにゃくとごぼうのみそ煮

材料（1人分）

こんにゃく	60g	(1/4枚)
ごぼう	20g	(1/8本)
A だし	1/4カップ	
みそ	小さじ2/3	
砂糖	小さじ1/4	

作り方[調理時間15分]

1. こんにゃくはスプーンなどでちぎってゆでる。ごぼうはささがきにしてさっと水にさらし、水けをきる。
2. 鍋にAを入れて混ぜ、1を入れて中火にかけてふたをする。沸騰したら弱火で5分程度に煮る。ふたをあけ、混ぜながら水けをとばすようにからめる。

エネルギー	食物繊維	コレステロール	脂質	塩分
26kcal	2.7g	0mg	0.2g	0.5g

海藻に含まれるアルギン酸は食物繊維のひとつで、余分なコレステロールを排出する働きがあります。煮汁などにも溶けこんでいるので残さず食べましょう。

海藻

ねぎを焼いて香ばしく

わかめと焼きねぎの七味みそ和え

材料（1人分）
- わかめ（塩蔵）……… 20g
- 長ねぎ ……… 25g（5cm）
- A
  - みそ ……… 小さじ½
  - 砂糖 ……… 小さじ¼
  - 酢 ……… 小さじ1
  - 七味唐辛子 ……… 少々

作り方 ［調理時間10分（わかめをもどす時間除く）］

1. わかめは水で洗ってもどし、さっと湯通しする。水にとり、水けをしぼってひと口大に切る。ねぎはフライパンで焼き、食べやすい大きさに切る。
2. Aをよく混ぜ合わせ、1と和える。

エネルギー	食物繊維	コレステロール	脂質	塩分
23kcal	1.2g	1mg	0.2g	0.5g

ナンプラーは少量でもコクを出してくれる

わかめと香菜のエスニックサラダ

材料（1人分）
- わかめ（塩蔵）……… 20g
- 香菜 ……… 20g
- 赤唐辛子 ……… ¼本
- A
  - レモン汁 ……… 小さじ1
  - ナンプラー ……… 小さじ⅓
  - 砂糖 ……… ひとつまみ
  - ごま油 ……… 小さじ¼

作り方 ［調理時間10分（わかめをもどす時間除く）］

1. わかめは水で洗ってもどし、さっと湯通しする。水にとり、水けをしぼってひと口大に切る。香菜は3cm長さに切る。赤唐辛子は輪切りにする。
2. 赤唐辛子とAをよく混ぜ、わかめ、香菜と混ぜ合わせる。

エネルギー	食物繊維	コレステロール	脂質	塩分
19kcal	1.3g	0mg	1.2g	0.6g

副菜 | 海藻（わかめ）

塩分抑えめでローカロリー！
わかめとねぎのおろし和え

材料（1人分）

わかめ（塩蔵）	20g
大根	50g（1.3cm）
小ねぎ	10g（2本）
酢	小さじ1½
しょうゆ	小さじ⅓

作り方 [調理時間 **10**分（わかめをもどす時間除く）]

1. わかめは水で洗ってもどし、さっと湯通しする。水にとり、水けをしぼってひと口大に切る。小ねぎは小口切りに、大根はすりおろして軽く水けをきる。
2. 酢、しょうゆと1を混ぜ合わせる。

エネルギー	食物繊維	コレステロール	脂質	塩分
17kcal	1.2g	0mg	0.0g	0.4g

煮汁ごと食べれば水溶性食物繊維がしっかりとれる
わかめとレタスの煮浸し

材料（1人分）

わかめ（塩蔵）	20g
レタス	60g（2枚）
A だし	¼カップ
みりん	小さじ1
しょうゆ	小さじ½
B 片栗粉	小さじ⅓
水	小さじ1

作り方 [調理時間 **10**分（わかめをもどす時間除く）]

1. わかめは水で洗ってもどし、ひと口大に切る。レタスは大きめに切る。
2. 鍋にAを中火で煮立て、1を入れさっと煮る。Bの水溶き片栗粉を加え軽くとろみをつけ、ひと煮立ちさせる。

エネルギー	食物繊維	コレステロール	脂質	塩分
32kcal	1.8g	0mg	0.1g	1.0g

三つ葉とおかかが風味よし！
わかめと三つ葉のおかか炒め

材料（1人分）

わかめ（塩蔵）	20g
三つ葉	20g（14本）
ごま油	小さじ½
削り節	1g（¼袋）
しょうゆ	小さじ⅓

作り方 [調理時間 **10**分（わかめをもどす時間除く）]

1. わかめは水で洗ってもどし、さっと湯通しする。水にとり、水けをしぼってひと口大に切る。三つ葉は3cm長さに切る。
2. フライパンを熱し、ごま油を入れて1を炒める。油が回ったら削り節としょうゆを加え、炒め合わせる。

エネルギー	食物繊維	コレステロール	脂質	塩分
30kcal	1.6g	2mg	2.1g	0.8g

ごはんがすすむ一品
ひじきとピーマンのナムル

材料（1人分）
- ひじき（乾） ………… 5g
- ピーマン ……………… 30g（1個）
- A
  - 長ねぎ（みじん切り）・・小さじ½
  - にんにく（みじん切り）・・少々
  - 粉唐辛子 ………… 少々
  - しょうゆ ………… 小さじ½
  - ごま油 …………… 小さじ½

エネルギー	食物繊維	コレステロール	脂質	塩分
37kcal	3.4g	0mg	2.1g	0.5g

作り方　[調理時間 10分（ひじきをもどす時間除く）]
1. ひじきは水につけてもどす。ピーマンは太めのせん切りにしてさっとゆでて、冷ます。
2. 混ぜ合わせたAと1を和える。

マヨしょうゆとしそがさわやかに香る
ひじきとれんこんのサラダ

材料（1人分）
- ひじき（乾） ………… 5g
- れんこん ……………… 30g（½節）
- しそ …………………… 2枚
- A
  - しょうゆ ………… 小さじ½
  - 酢 ………………… 小さじ1
  - マヨネーズ ……… 小さじ1

作り方　[調理時間 10分（ひじきをもどす時間除く）]
1. れんこんは半月切りにし、ひじきは水でもどし、れんこんと一緒にゆでて、冷ます。
2. しそはみじん切りにし、A、1と混ぜ合わせる。

エネルギー	食物繊維	コレステロール	脂質	塩分
61kcal	3.3g	6mg	3.0g	0.7g

冷めてもおいしくお弁当にもおすすめ
ひじきとしらたきの煮もの

材料（1人分）
- ひじき（乾） ………… 5g
- しらたき ……………… 30g（⅕袋）
- しょうが（薄切り）…… 1枚
- サラダ油 ……………… 小さじ½
- A
  - だし ……………… ¼カップ
  - 砂糖 ……………… 小さじ⅓
  - しょうゆ ………… 小さじ⅔
  - 酒 ………………… 小さじ1

作り方　[調理時間 20分（ひじきをもどす時間除く）]
1. ひじきは水でもどす。しらたきはゆでて食べやすく切る。しょうがはせん切りにする。
2. 鍋にサラダ油を入れて中火で熱し、1を加えて炒める。油が回ったらAを入れて混ぜ、ふたをする。沸騰したら弱火にし、10分くらい煮る。

エネルギー	食物繊維	コレステロール	脂質	塩分
42kcal	3.5g	0mg	2.0g	0.8g

副菜 | 海藻（ひじき・糸寒天）

甘さ控えめで食べやすい
ひじきとにんじんの山椒煮

材料（1人分）

- ひじき（乾）………… 5g
- にんじん …………… 40g（4cm）
- A
  - だし ……………… ¼カップ
  - しょうゆ ………… 小さじ½
  - みりん …………… 小さじ1
- 粉山椒 ……………… 少々

作り方［調理時間 **20**分（ひじきをもどす時間除く）］

1. ひじきは水でもどし、にんじんは乱切りにする。
2. 鍋にAと1を入れて中火にかけてふたをする。

沸騰したら弱火にし、7～8分煮る。粉山椒を加え、煮汁がなくなるまで混ぜながらからめる。

エネルギー	食物繊維	コレステロール	脂質	塩分
39kcal	3.6g	0mg	0.1g	0.6g

からし酢じょうゆを含んだ糸寒天がおいしい
糸寒天ときゅうりの中華和え

材料（1人分）

- 糸寒天 ……………… 3g
- きゅうり …………… 30g（⅓本）
- A
  - 練りからし ……… 少々
  - 酢 ………………… 小さじ1
  - しょうゆ ………… 小さじ⅓
  - 砂糖 ……………… 少々（0.4g）
  - ごま油 …………… 小さじ¼

作り方［調理時間 **10**分（糸寒天をもどす時間除く）］

1. 糸寒天は水に浸してもどして水けをしぼり、3cm長さに切る。きゅうりはせん切りにする。
2. Aをよく混ぜ合わせ、1と和える。

エネルギー	食物繊維	コレステロール	脂質	塩分
25kcal	2.6g	0mg	1.1g	0.3g

イソフラボンもたっぷりとれる
糸寒天と水菜の納豆和え

材料（1人分）

- 糸寒天 ……………… 5g
- 水菜 ………………… 20g（1株）
- 納豆 ………………… 20g（½パック）
- A
  - しょうゆ ………… 小さじ⅓
  - 酢 ………………… 小さじ1
  - わさび …………… 少々

エネルギー	食物繊維	コレステロール	脂質	塩分
56kcal	5.6g	0mg	2.0g	0.3g

作り方［調理時間 **10**分（糸寒天をもどす時間除く）］

1. 糸寒天は水に浸してもどして水けをしぼり、3cm長さに切る。水菜も3cm長さに切る。
2. 納豆、Aと1を混ぜ合わせる。

切り干し大根がうまみをギュッと吸った
切り昆布と切り干し大根のハリハリ漬け

材料（1人分）

切り干し大根	……	5g
切り昆布	…………	10g
A 酢	…………	小さじ1
しょうゆ	………	小さじ½
だし	…………	大さじ1
しょうが(せん切り)	・・	薄切り1枚分
赤唐辛子(輪切り)	……	¼本分

作り方［調理時間**20**分
（もどす時間、漬ける時間除く）］

1 切り干し大根はもみ洗いをし、水に浸してもどす。切り昆布も水に浸してもどし、食べやすい長さに切る。

2 A、しょうが、赤唐辛子と1を混ぜ合わせ、15分くらい漬ける。

エネルギー	食物繊維	コレステロール	脂質	塩分
32kcal	5.0g	0mg	0.0g	0.6g

昆布の歯ごたえが食べすぎを防ぐ
切り昆布と油揚げの煮もの

材料（1人分）

切り昆布	……………	10g
油揚げ	……………	8g（¼枚）
A だし	…………	⅓カップ
酒	…………	小さじ1
砂糖	…………	小さじ¼
しょうゆ	………	小さじ½

作り方［調理時間**20**分（もどす時間除く）］

1 切り昆布は水に浸してもどし、食べやすい長さに切る。油揚げは熱湯をかけて油抜きし、短冊切りにする。

2 鍋にAと1を入れて中火にかけてふたをする。沸騰したら弱火にし、10分くらい煮る。

エネルギー	食物繊維	コレステロール	脂質	塩分
54kcal	4.0g	0mg	2.5g	0.7g

混ぜるだけで手軽に作れる
もずくと貝割れの酢のもの

材料（1人分）

もずく	……………	60g
貝割れ菜	…………	10g（⅙袋）
A 酢	…………	大さじ1
砂糖	…………	小さじ½
塩	…………	少々
しょうゆ	………	小さじ¼

作り方［調理時間**5**分］

1 もずくは食べやすい大きさに切り、貝割れ菜は3等分に切る。

2 よく混ぜたAと1を和える。

エネルギー	食物繊維	コレステロール	脂質	塩分
20kcal	1.0g	0mg	0.1g	0.6g

副菜 | 海藻・きのこ

食物繊維はきのこにも豊富。しかもローカロリーなので、たくさん食べても太る心配がありません。食事の際はきのこの副菜から食べ始めて、食べすぎを防止。

きのこ

しゃきしゃきしたえのきときゅうりの食感が楽しい
えのきときゅうりのからし酢和え

材料（1人分）

えのきたけ		50g（¼袋弱）
きゅうり		30g（⅓本）
A	練りからし	少々
	酢	小さじ1½
	塩	少々（0.3g）
	砂糖	小さじ¼

作り方[調理時間10分]

1. えのきたけは半分に切り、ラップで包み、電子レンジ(600W)で40秒加熱し、冷ます。
2. きゅうりは縦半分に切り、さらに斜め薄切りにする。
3. Aと1、2を混ぜ合わせる。

エネルギー	食物繊維	コレステロール	脂質	塩分
29kcal	2.3g	0mg	0.1g	0.3g

しいたけをまるごと食べられる
しいたけのみそチーズ焼き

材料（1人分）

しいたけ		40g（2枚）
A	みそ	小さじ⅓
	酒	2〜3滴
パルメザンチーズ		小さじ⅔

作り方[調理時間10分]

1. しいたけは軸を切り、カサの内側に混ぜておいたAを塗る。
2. 1にパルメザンチーズをちらし、オーブントースターで8分くらい焼く。

エネルギー	食物繊維	コレステロール	脂質	塩分
20kcal	2.1g	1mg	0.6g	0.3g

にんにくがきいていて香ばしい
しめじのガーリックパン粉焼き

材料（1人分）

しめじ	……………	60g（1/3袋）
にんにく（薄切り）	……	1枚
A｜パン粉	…………	小さじ2
｜パセリ（みじん切り）	…	小さじ1/2
｜こしょう	………	少々
オリーブ油	…………	小さじ1/3

作り方［調理時間15分］

1. しめじは小房に分け、にんにくはみじん切りにする。
2. しめじは耐熱性の器に入れ、よく混ぜておいたにんにくとAをかけ、オリーブ油をふりかけて、オーブントースターで10分くらい焼く。

エネルギー	食物繊維	コレステロール	脂質	塩分
34kcal	2.3g	0mg	1.5g	0.0g

マヨネーズとしょうゆでマイルドに
しめじと三つ葉のマヨしょうゆ和え

材料（1人分）

しめじ	……………	60g（1/3袋）
三つ葉	……………	20g（14本）
マヨネーズ	…………	小さじ1
しょうゆ	……………	小さじ1/3

作り方［調理時間5分］

1. しめじは小房に分け、三つ葉は3cm長さに切り、ラップで包み、電子レンジ(600W)で40秒強加熱して冷ます。
2. マヨネーズ、しょうゆと1を合わせる。

エネルギー	食物繊維	コレステロール	脂質	塩分
44kcal	2.6g	6mg	3.1g	0.4g

オリーブ油とチーズの風味で大満足
きのこサラダ

材料（1人分）

しめじ	……………	60g（1/3袋）
ミックスリーフ	………	20g
A｜オリーブ油	………	小さじ1/2
｜酢	…………………	小さじ1/2
｜塩	…………………	少々（0.3g）
｜バルサミコ酢	……	2滴
｜こしょう	…………	少々
パルメザンチーズ	……	小さじ1/2

作り方［調理時間5分］

1. しめじは小房に分けてラップで包み、電子レンジ(600W)で40秒加熱して冷ます。
2. ミックスリーフとAを混ぜ合わせて器に盛る。
3. 2にしめじを盛り、パルメザンチーズをちらす。

エネルギー	食物繊維	コレステロール	脂質	塩分
41kcal	2.5g	1mg	2.4g	0.3g

副菜 | きのこ

炒めることで、まいたけの風味がアップ
まいたけと小松菜のごましょうゆ炒め

材料（1人分）

まいたけ	50g（½袋）
小松菜	50g（大1株）
ごま油	小さじ½
白すりごま	小さじ1
しょうゆ・みりん	各小さじ½

作り方［調理時間5分］

1. まいたけは小房に分け、小松菜は3㎝長さに切る。
2. フライパンを中火で熱し、ごま油を入れて1を炒める。すりごま、しょうゆ、みりんを加えて炒める。

エネルギー	食物繊維	コレステロール	脂質	塩分
63kcal	3.1g	0mg	3.7g	0.4g

グリルで焼いて混ぜ合わせるだけでできあがり
まいたけのだし漬け

材料（1人分）

まいたけ	50g（½袋）
ししとう	20g（4本）
A　だし	小さじ2
みりん	小さじ¼
しょうゆ	小さじ½

作り方［調理時間10分］

1. まいたけは食べやすい大きさにさき、ししとうはへたを切る。魚焼きグリルで焼き色がつくまで焼く。
2. Aと1を混ぜ合わせる。

エネルギー	食物繊維	コレステロール	脂質	塩分
22kcal	2.5g	0mg	0.2g	0.4g

まいたけの食感を楽しんで
まいたけのミルクスープ

材料（1人分）

まいたけ	50g（½袋強）
玉ねぎ	20g（⅒個）
コンソメスープの素（固形）	⅛個
水	½カップ
牛乳	½カップ
塩	少々（0.3g）
こしょう	少々

作り方［調理時間15分］

1. まいたけは細めにさき、玉ねぎはせん切りにする。
2. 鍋にコンソメスープの素、水、玉ねぎを入れて中火にかけてふたをする。沸騰したら弱火にして5分くらい煮る。まいたけを加えてさらに5分煮、牛乳を加えて中火にして煮立てる。塩、こしょうで味を調える。

エネルギー	食物繊維	コレステロール	脂質	塩分
83kcal	2.1g	13mg	3.8g	0.6g

好みのきのこを使っても
きのこのホイル焼き

材料（1人分）

- えのきたけ ………… 40g（⅕袋弱）
- しいたけ ………… 40g（2枚）
- A
  - バター ………… 小さじ½
  - しょうゆ ………… 小さじ⅓
  - こしょう ………… 少々

作り方 [調理時間 15分]

1. えのきたけは半分に切り、しいたけは薄切りにする。
2. アルミホイルに1をのせ、Aを入れて包み、オーブントースターで10分焼く。

エネルギー	食物繊維	コレステロール	脂質	塩分
39kcal	3.5g	4mg	1.6g	0.3g

バルサミコ酢で深い味わいに
きのこのバルサミコ酢炒め

材料（1人分）

- しめじ ………… 40g（¼袋強）
- まいたけ ………… 40g（½袋）
- にんにく（薄切り）… 1枚
- オリーブ油 ………… 小さじ½
- A
  - しょうゆ ………… 小さじ½
  - バルサミコ酢 … 小さじ½
  - こしょう ………… 少々

作り方 [調理時間 10分]

1. しめじとまいたけはそれぞれ小房に分ける。にんにくはみじん切りにする。
2. フライパンにオリーブ油、にんにくを入れて熱し、しめじとまいたけを炒める。Aを加え、炒め合わせる。

エネルギー	食物繊維	コレステロール	脂質	塩分
42kcal	2.9g	0mg	2.2g	0.4g

梅とわさびが食欲をそそる
焼ききのこの梅わさび和え

材料（1人分）

- エリンギ ………… 40g（1本）
- しいたけ ………… 40g（2枚）
- 梅干し（18%塩分）…… ⅛個
- わさび ………… 少々

作り方 [調理時間 10分]

1. エリンギは縦半分に切り、しいたけは軸を切ってともに魚焼きグリルで7〜8分焼き、食べやすい大きさに切る。
2. 梅干しは細かくたたき、わさびと混ぜ、1と和える。

エネルギー	食物繊維	コレステロール	脂質	塩分
24kcal	3.4g	0mg	0.2g	0.2g

副菜 | きのこ

ウスターソースを加えてコクをプラス
エリンギとパプリカのケチャップ炒め

材料（1人分）
- エリンギ ……… 60g（大1本）
- パプリカ(赤) ……… 30g（⅙個）
- オリーブ油 ……… 小さじ½
- ケチャップ ……… 小さじ1
- ウスターソース ……… 小さじ½

作り方 [調理時間10分]
1. エリンギは3cm長さに、パプリカは太めのせん切りにする。
2. フライパンを中火で熱しオリーブ油を入れて1を炒め、ケチャップとウスターソースを加えて炒め合わせる。

エネルギー	食物繊維	コレステロール	脂質	塩分
54kcal	2.6g	0mg	2.2g	0.5g

栄養成分が溶け込んだ煮汁ごと食べて
なめことほうれん草の煮浸し

材料（1人分）
- なめこ ……… 50g（½袋）
- ほうれん草 ……… 50g（大2株）
- A
  - だし ……… ½カップ
  - みりん ……… 小さじ⅓
  - しょうゆ ……… 小さじ⅔

作り方 [調理時間10分]
1. ほうれん草はゆでて3cm長さに切る。
2. 鍋にAを入れて中火で煮立て、なめこと1を入れてさっと煮る。

エネルギー	食物繊維	コレステロール	脂質	塩分
26kcal	2.4g	0mg	0.2g	0.7g

みそ味のおかかがからんでおいしい
きくらげとこんにゃくのおかかみそ炒め

材料（1人分）
- きくらげ(生) ……… 40g
- こんにゃく ……… 40g（⅙枚）
- ごま油 ……… 小さじ½
- A
  - みそ ……… 小さじ⅔
  - みりん ……… 小さじ1
  - 削り節 ……… 1g（¼袋）

作り方 [調理時間10分]
1. きくらげは石づきをとって食べやすく切る。こんにゃくは薄切りにしてさっとゆでる。
2. フライパンを中火で熱し、ごま油を入れてこんにゃくを炒める。きくらげを加えてさらに炒め、火を止める。Aを加え、余熱で炒め合わせる。

エネルギー	食物繊維	コレステロール	脂質	塩分
50kcal	3.3g	2mg	2.3g	0.5g

良質なたんぱく質、食物繊維、不飽和脂肪酸などが含まれているため、コレステロール値を改善して動脈硬化の進行を抑えます。1日1回は食べましょう。

大豆製品・豆類

食物繊維がたっぷりとれる

納豆サラダ

材料（1人分）

納豆	20g（½パック）
大根	50g（1.3cm）
水菜	20g（1株）
A 酢	小さじ1
しょうゆ	小さじ⅔
オリーブ油	小さじ½

作り方［調理時間5分］

1. 大根はせん切りに、水菜は3cm長さに切り、混ぜ合わせて器に盛る。
2. 納豆とAをよく混ぜ合わせ、1にかける。

エネルギー	食物繊維	コレステロール	脂質	塩分
74kcal	2.6g	0mg	3.9g	0.6g

> **コレステロール値を下げるコツ**
>
> **納豆は冷蔵庫に常備する**
>
> 納豆はコレステロールを含まないうえ、コレステロール値を下げる効果があります。冷蔵庫に常備しておけば、1品足りないときなどに便利。よく混ぜることで、粘り成分が空気を含んで舌ざわりがなめらかになります。

納豆のイソフラボンには抗酸化作用も

おろし納豆

材料（1人分）

納豆	20g（½パック）
しらす	6g（大さじ1強）
大根	100g（2.5cm）
しょうゆ	小さじ½
酢	小さじ½

作り方［調理時間5分］

1. 大根はすりおろして軽く水けをきる。しらすは熱湯をかけて水けをきり、大根おろしと混ぜ合わせる。
2. 納豆を器に盛り、1をかけ、酢としょうゆを混ぜたものをかける。

エネルギー	食物繊維	コレステロール	脂質	塩分
62kcal	2.5g	15mg	2.0g	0.7g

副菜 | 大豆製品・豆類

にらのしゃきしゃき食感を楽しめる
大豆とにらのナムル

材料（1人分）

- 大豆(缶) ……………… 40g
- にら …………………… 30g（約1/3束）
- A
  - ごま油 …………… 小さじ1/4
  - 塩 ………………… 少々（0.3g）
  - 粉唐辛子 ………… 少々
  - にんにく（みじん切り）… 少々

エネルギー	食物繊維	コレステロール	脂質	塩分
65kcal	3.6g	0mg	3.5g	0.5g

作り方［調理時間5分］

1. にらはさっとゆでて3cm長さに切る。
2. 大豆、Aと1を混ぜ合わせる。

大豆たっぷりの「食べるスープ」
大豆入りミネストローネ

材料（1人分）

- 大豆(缶) ……………………… 40g
- 玉ねぎ ………………………… 20g（1/10個）
- にんじん ……………………… 10g（1cm）
- トマト ………………………… 50g（1/3個）
- キャベツ ……………………… 30g（1/2枚）
- にんにく（みじん切り）……… 少々
- オリーブ油 …………………… 小さじ1/2
- ベーコン ……………………… 5g（1/3枚）
- コンソメスープの素(固形) … 1/8個
- 水 ……………………………… 1カップ
- 塩 ……………………………… 少々（0.3g）
- こしょう ……………………… 少々
- パルメザンチーズ …………… 小さじ1/3

エネルギー	食物繊維	コレステロール	脂質	塩分
118kcal	4.3g	3mg	6.7g	0.8g

作り方［調理時間20分］

1. 玉ねぎ、にんじん、ベーコン、トマトは1cm角強の角切りに、キャベツは大きめの角切りにする。
2. 鍋にオリーブ油とにんにくを入れて中火で熱し、トマト以外の1を炒め、油が回ったらトマトを加えてさらに炒める。
3. 水、コンソメスープの素、大豆を入れてふたをする。沸騰したら弱火で10分くらい煮て、塩、こしょうで味を調える。
4. 器に盛り、チーズをかける。

調味料がわりに使う梅干しの酸味がさわやか
大豆の梅おろし和え

材料（1人分）

- 大豆(缶) ……………… 40g
- 大根 …………………… 50g（1.3cm）
- 梅干し（18%塩分）… 2g（1/5個）
- しそ …………………… 2枚

作り方［調理時間5分］

1. 大根はすりおろして軽く水けをきる。梅干しは細かくたたく。しそはせん切りにする。
2. 1と大豆を混ぜ合わせる。

エネルギー	食物繊維	コレステロール	脂質	塩分
58kcal	3.5g	0mg	2.5g	0.6g

しっかり香りが出るまで炒めた長ねぎがきいている
炒りおから

材料（1人分）

おから		40g
長ねぎ		20g（4cm）
にんじん		10g（1cm）
えのきたけ		20g（1/5袋）
サラダ油		小さじ1/2
A	だし	1/3カップ
	砂糖	小さじ1/2
	酒	小さじ1
	しょうゆ	小さじ2/3

作り方［調理時間 **15**分］

1. 長ねぎは小口切りに、にんじんはせん切り、えのきたけは2cm長さに切る。
2. フライパンを中火で熱してサラダ油を入れ、長ねぎを炒めて香りが出たら、にんじん、えのきたけを入れて炒める。おからを加えさっと炒めAを加え、中火から弱火で混ぜながら汁けがなくなるまで煮る。

エネルギー	食物繊維	コレステロール	脂質	塩分
85kcal	6.1g	0mg	3.3g	0.7g

香ばしさがたまらない
焼き枝豆

材料（1人分）

枝豆		50g
にんにく（みじん切り）		少々

作り方［調理時間 **15**分］

1. 枝豆とにんにくを混ぜ合わせる。
2. 耐熱性のトレイまたはアルミホイルに1を置き、オーブントースターまたは魚焼きグリルで8〜10分焼く。

エネルギー	食物繊維	コレステロール	脂質	塩分
34kcal	1.4g	0mg	1.5g	0.0g

焼いた油揚げのカリカリ食感を楽しんで
焼き油揚げときゅうりの酢のもの

材料（1人分）

油揚げ		10g（1/3枚）
きゅうり		45g（1/2本）
A	酢	小さじ1 1/2
	しょうゆ	小さじ1/2
	砂糖	小さじ1/4
	練りからし	少々

作り方［調理時間 **10**分］

1. 油揚げは魚焼きグリルで5分くらい焼いて短冊切りにし、きゅうりも短冊切りにする。
2. Aを混ぜ合わせ、1と合わせる。

エネルギー	食物繊維	コレステロール	脂質	塩分
54kcal	0.6g	0mg	3.1g	0.4g

副菜 | 大豆製品・豆類

定番にしたいおいしさ
にんじんの白和え

材料（1人分）

にんじん	40g（4cm）
ひじき（乾）	小さじ1
しょうゆ	小さじ1/3
絹ごし豆腐	60g（1/5丁）
砂糖	小さじ1/3
塩	少々（0.3g）

作り方［調理時間 15分（ひじきをもどす時間除く）］

1. にんじんは短冊切りにして、ゆでてざるにあげ、水けをきる。ひじきは水でもどして水けをきる。
2. しょうゆと1を混ぜ合わせ、冷ます。
3. 豆腐はつぶし、砂糖と塩を混ぜ、2と合わせる。

エネルギー	食物繊維	コレステロール	脂質	塩分
53kcal	2.0g	0mg	2.0g	0.7g

不飽和脂肪酸が豊富なアボカドを食卓に
アボカドやっこ

材料（1人分）

アボカド	40g（1/4個）
木綿豆腐	50g（1/6丁）
貝割れ菜	10g（1/6袋）
しょうゆ	小さじ1/2
酢	小さじ1/2

作り方［調理時間 5分］

1. アボカドは乱切りにする。豆腐は大きくくずす。
2. 半分に切った貝割れ菜と1を合わせて器に盛り、しょうゆと酢を合わせてかける。

エネルギー	食物繊維	コレステロール	脂質	塩分
114kcal	3.0g	0mg	8.6g	0.4g

大きめにくずした豆腐が食べごたえあり
豆腐とブロッコリーのうすくず汁

材料（1人分）

絹ごし豆腐	60g（1/5丁）
ブロッコリー	20g（大1房）
だし	3/4カップ
しょうゆ	小さじ1/2
A 片栗粉	小さじ1/2
水	小さじ1
しょうが（すりおろし）	少々

作り方［調理時間 10分］

1. ブロッコリーは薄切りにする。
2. 鍋にだしを入れて中火で煮立てる。1を加えて再度煮立てたら、豆腐をスプーンですくって入れて煮立てる。しょうゆを加えて、Aの水溶き片栗粉でとろみをつけ、ひと煮立ちさせる。
3. 器に盛り、しょうがをのせる。

エネルギー	食物繊維	コレステロール	脂質	塩分
52kcal	1.6g	0mg	2.0g	0.6g

\ 満足度アップ＆食物繊維もとれる！ /

簡単レシピ35

缶詰やカット野菜など市販品の組み合わせに、
「和える」「炒める」「レンチンする」「熱湯を注ぐ」といった
ひと手間を加えるだけで、バランスのとれたおいしいメニューが作れます！
忙しい日や調理が面倒な日の強い味方になります！

市販食品でラクラク！ お手軽レシピ

※缶や袋をあけてすぐに使える食材は、―― で表示しています。

さけ缶

[主菜] さけ水煮缶とスライス玉ねぎのオーロラソースかけ

材料（1人分）
- さけ水煮缶…80g（1缶）
- スライス玉ねぎミックスサラダ…40g（½袋）
- A｜マヨネーズ…小さじ1
　　｜ケチャップ…小さじ1

- エネルギー168kcal
- 食物繊維0.6g
- コレステロール59mg
- 脂質8.9g
- 塩分0.7g

作り方［調理時間5分］
1 さけ缶は汁けをきり、スライス玉ねぎミックスサラダと混ぜ合わせて、器に盛る。
2 Aを混ぜ合わせ、1にかける。

[主菜] さけ水煮缶とカットしめじのチーズ蒸し

材料（1人分）
- さけ水煮缶…80g（1缶）
- カットしめじ…80g
- A｜しょうゆ…小さじ½
　　｜こしょう…少々
- ピザ用チーズ…20g

- エネルギー216kcal
- 食物繊維2.8g
- コレステロール69mg
- 脂質11.4g
- 塩分1.3g

作り方［調理時間5分］
1 耐熱性の器に汁けをきったさけ缶を入れて、粗くほぐす。
2 カットしめじも加え、Aをかけてチーズを散らす。ふんわりラップをして、電子レンジ（600W）で2分加熱する。

ツナ缶

[主食] ツナ缶とミックスリーフのライスサラダ

- エネルギー367kcal
- 食物繊維3.1g
- コレステロール2.1mg
- 脂質4.7g
- 塩分0.9g

材料（1人分）
- ツナ水煮缶…70g（小1缶）
- ミックスリーフ…20g
- 温かいごはん…180g
- A｜酢…小さじ2
　　｜塩…少々（0.6g）
　　｜こしょう…少々
　　｜オリーブ油…小さじ1

作り方［調理時間5分］
1 ツナ缶は汁けをきる。
2 ごはんに半量のツナとAを混ぜ合わせ、ミックスリーフを加えてさっくり混ぜ、残りのツナを散らす。

主食
さばトマトライス

エネルギー	438kcal
食物繊維	5.8g
コレステロール	59mg
脂質	7.1g
塩分	1.1g

材料（1人分）

さば水煮缶…70g（½缶）
カットしめじ…50g
A｜にんにく（みじん切り）…少々
　｜トマト水煮缶（カット）…100g
　｜こしょう…少々
　｜しょうゆ…小さじ½
温かいごはん…180g

作り方[調理時間10分]

1　耐熱性の器に、汁けをきったさば缶を入れて大きくほぐす。
2　1にカットしめじ、Aを加えてさっと混ぜる。ふんわりラップをして電子レンジ（600W）で3分加熱する。2分蒸らし、ごはんとともに器に盛る。

 さば缶

主菜
さばとにらの七味しょうゆ煮

材料（1人分）

さば水煮缶…70g（½缶）
にら…100g（1束）
A｜水…大さじ1
　｜しょうゆ…小さじ⅔
　｜七味唐辛子…少々

エネルギー	143kcal
食物繊維	2.7g
コレステロール	59mg
脂質	6.6g
塩分	1.2g

作り方[調理時間5分]

1　さば缶は汁けをきって大きく割る。にらは3cm長さに切る。
2　耐熱性の器に1とAを加え、ふんわりラップをして電子レンジ（600W）で2分加熱し、2分そのまま蒸らす。

主菜
さば缶の貝割れ和え

材料（1人分）

さば水煮缶…70g（½缶）
貝割れ菜…30g（½袋）
ぽん酢しょうゆ…小さじ1

エネルギー	132kcal
食物繊維	0.6g
コレステロール	59mg
脂質	6.6g
塩分	1.1g

作り方[調理時間5分]

1　貝割れ菜は半分に切り、汁けをきったさば缶と和え、ぽん酢しょうゆをかける。

主菜
さば缶と香菜のエスニック和え

材料（1人分）

さば水煮缶…70g（½缶）
カット香菜…15g（1袋）
レモン（薄い輪切り）…1枚
A｜ナンプラー…小さじ½
　｜ラー油…少々

エネルギー	137kcal
食物繊維	0.9g
コレステロール	59mg
脂質	7.6g
塩分	1.3g

作り方[調理時間5分]

1　さば缶は汁けをきり、粗くほぐす。
2　1とカット香菜、半分に切ったレモン、Aと混ぜ合わせる。

サラダチキン

主食
サラダチキンサンド

エネルギー	328kcal
食物繊維	4.7g
コレステロール	47mg
脂質	7.7g
塩分	1.9g

材料（1人分）

サラダチキン…55g（½枚）
A｜マスタード…小さじ½
　｜マヨネーズ…小さじ1
食パン…90g（8枚切り2枚）
貝割れ菜…30g（½袋）
レタス…30g（1枚）

作り方［調理時間 **10**分］

1　サラダチキンは薄切りにする。Aを混ぜ合わせてパンに塗る。
2　食パンの大きさにたたんだレタス、貝割れ菜、サラダチキンをサンドし、半分に切り分ける。

主菜
サラダチキンのレモンサラダ

材料（1人分）

サラダチキン…55g（½枚）
レモン（薄い輪切り）…2枚
せん切りキャベツ…80g
A｜オリーブ油…小さじ1
　｜塩・こしょう…各少々
　｜酢…小さじ1

エネルギー	123kcal
食物繊維	1.9g
コレステロール	47mg
脂質	5.2g
塩分	1.0g

作り方［調理時間 **5**分］

1　サラダチキンは薄切りに、レモンは4等分に切る。
2　せん切りキャベツと1、Aを混ぜ合わせる。

主菜
サラダチキンと大豆もやしのごま油蒸し

材料（1人分）

サラダチキン…55g（½枚）
大豆もやし…100g（½袋）
A｜ごま油…小さじ½
　｜塩…少々（0.3g）
黒こしょう…少々

エネルギー	110kcal
食物繊維	2.3g
コレステロール	47mg
脂質	4.3g
塩分	0.9g

作り方［調理時間 **10**分］

1　サラダチキンは薄切りにする。
2　耐熱性の器に1と大豆もやしを入れ、Aを混ぜ合わせる。ふんわりラップをかけ、電子レンジ（600W）で2分加熱する。黒こしょうをふる。

主菜
サラダチキンと水菜のぽん酢和え

エネルギー	83kcal
食物繊維	1.5g
コレステロール	47mg
脂質	1.6g
塩分	1.1g

材料（1人分）

サラダチキン…55g（½枚）
水菜…50g（2½株）
A｜ぽん酢しょうゆ…小さじ1
　｜ラー油…少々

作り方［調理時間 **5**分］

1　サラダチキンは太めにさき、水菜は3㎝長さに切る。
2　1とAを和える。

野菜炒めミックス

主菜
野菜炒めミックスとツナ缶の鍋

材料（1人分）

野菜炒めミックス…200g（1袋）
ツナ水煮缶…70g（小1缶）
A｜酒…大さじ1
　｜塩…少々
　｜しょうゆ…小さじ1
ゆずこしょう…少々

作り方［調理時間 15分］

1　小鍋に、野菜がひたひたになるくらいの量の湯をわかす。
2　沸騰したらAを入れ、野菜炒めミックス、ツナを缶汁ごと入れて煮る。仕上げにゆずこしょうを溶かす。

- エネルギー 93kcal
- 食物繊維 1.9g
- コレステロール 25mg
- 脂質 0.8g
- 塩分 1.6g

主菜
野菜炒めミックスとひき肉の豆板醬炒め

材料（1人分）

野菜炒めミックス…100g（½袋）
豚ひき肉（赤身）…80g
ごま油…小さじ1
A｜豆板醬…少々（0.8g）
　｜オイスターソース・
　｜しょうゆ…各小さじ½

作り方［調理時間 10分］

1　フライパンを中火で熱し、ごま油を入れひき肉を炒める。
2　火が通ったら野菜炒めミックスを加えてさらに炒め、Aを加え、炒め合わせる。

- エネルギー 175kcal
- 食物繊維 1.9g
- コレステロール 53mg
- 脂質 8.5g
- 塩分 1.0g

汁もの
野菜炒めミックスとさば缶のおかずみそ汁

- エネルギー 156kcal
- 食物繊維 2.2g
- コレステロール 59mg
- 脂質 7.1g
- 塩分 1.4g

副菜
野菜炒めミックスのナンプラー蒸し

材料（1人分）

野菜炒めミックス…100g（½袋）
ナンプラー…小さじ½

作り方［調理時間 5分］

1　耐熱性の器に、野菜炒めミックスを入れ、ナンプラーをかける。
2　ふんわりラップをし、電子レンジ（600W）で1分40秒加熱し、1分くらい蒸す。

- エネルギー 24kcal
- 食物繊維 1.9g
- コレステロール 0mg
- 脂質 0.2g
- 塩分 0.7g

材料（1人分）

野菜炒めミックス…100g（½袋）
さば水煮缶…70g（½缶）
水…1カップ
みそ…小さじ1

作り方［調理時間 10分］

1　鍋に水を煮立て、野菜炒めミックスを加えてさらに煮立てる。
2　1にさば缶を加え、煮立ったらみそを溶き入れ、ひと煮立ちさせる。

焼き鳥缶

主食
焼き鳥親子丼

材料（1人分）

A｜焼き鳥缶…75g（小1缶）
　｜カットキャベツ…80g
　｜しょうゆ…小さじ⅔
　｜カットしめじ…30g
水…¼カップ
卵…45g（小1個）
温かいごはん…180g

- エネルギー501kcal
- 食物繊維5.2g
- コレステロール224mg
- 脂質10.4g
- 塩分2.4g

作り方［調理時間10分］

1　小さめのフライパンに水を入れて煮立て、Aを入れてさっと混ぜてふたをする。
2　沸騰したら弱火で3分くらい煮る。割りほぐした卵を回し入れてふたをし、火を止め、好みのかたさにとじ、そのまま置く。
3　ごはんを器に盛り、2をのせる。

主菜
焼き鳥缶のねぎ和え

材料（1人分）

焼き鳥缶…75g（1缶）
小ねぎ…20g（5本）
白いりごま…少々

作り方［調理時間5分］

1　小ねぎは2㎝長さに切り、焼き鳥缶と和える。器に盛り、白ごまをちらす。

- エネルギー137kcal
- 食物繊維0.5g
- コレステロール57mg
- 脂質5.9g
- 塩分1.7g

せん切りキャベツ

副菜
せん切りキャベツのおかかしょうゆ和え

材料（1人分）

せん切りキャベツ…80g
削り節…1g（¼袋）
A｜しょうゆ…小さじ½
　｜マヨネーズ・酢…各小さじ½

- エネルギー37kcal
- 食物繊維1.4g
- コレステロール5mg
- 脂質1.6g
- 塩分0.5g

作り方［調理時間5分］

1　せん切りキャベツとAを和えて器に盛り、削り節をのせる。

副菜
せん切りキャベツとハムのマスタード蒸し

材料（1人分）

せん切りキャベツ…80g
ボンレスハム…12g（1枚）
粒マスタード…小さじ1

作り方［調理時間5分］

1　ボンレスハムはせん切りにする。
2　耐熱性の器に1、せん切りキャベツ、粒マスタードを入れて混ぜ、ふんわりラップをして、電子レンジ（600W）で2分加熱する。

- エネルギー44kcal
- 食物繊維1.4g
- コレステロール6mg
- 脂質1.4g
- 塩分0.6g

電子レンジで加熱するだけ

コーンスープ

■エネルギー117kcal
■食物繊維2.4g
■コレステロール13mg
■脂質4.0g
■塩分1.0g

材料（1人分）

ブロッコリー…30g（1/8株）
コンソメスープの素（固形）…1/8個
A｜クリームコーン缶（無塩）…50g
　｜牛乳…1/2カップ
　｜塩・こしょう…各少々

作り方［調理時間10分］

1　ブロッコリーは細かく切り、コンソメスープの素は砕く。

2　耐熱性の器にAとコンソメスープの素を入れ混ぜ、ブロッコリーを加えてふんわりラップする。電子レンジ（600W）で2分30秒加熱する。

トマトスープ

材料（1人分）

れんこん…30g（1/7節）
クレソン…20g（2/3束）
A｜トマトジュース（無塩）
　｜　…1/2カップ
　｜水…1/4カップ
　｜コンソメスープの素（固形）…1/8個
　｜塩・こしょう…各少々

■エネルギー42kcal
■食物繊維1.8g
■コレステロール0mg
■脂質0.1g
■塩分0.6g

作り方［調理時間10分（水にさらす時間除く）］

1　れんこんは薄いいちょう切りにして水にさらし、水けをきる。クレソンは2cm長さに切る。

2　耐熱性の器にAを混ぜ、れんこん、クレソンを入れ、ふんわりラップをして電子レンジ（600W）で2分30秒加熱する。

えのきと豆苗のすまし汁

■エネルギー23kcal
■食物繊維1.8g
■コレステロール2mg
■脂質0.2g
■塩分0.6g

材料（1人分）

えのきたけ
　…30g（1/6袋）
豆苗…30g（1/8袋）
A｜水…3/4カップ
　｜削り節…1g（1/4袋）
　｜塩…少々
　｜しょうゆ…小さじ1/3

作り方［調理時間10分］

1　えのきたけと豆苗はそれぞれ2〜3cm長さに切る。

2　耐熱性の器に、1とAを入れてふんわりラップして電子レンジ（600W）で、2分30秒加熱する。

ほうれん草とねぎのすまし汁

材料（1人分）

ほうれん草
　…30g（小2株）
長ねぎ…10g（2cm）
A｜水…3/4カップ
　｜削り節…1g（1/4袋）
　｜塩…少々
　｜しょうゆ…小さじ1/3

作り方［調理時間5分］

1　ほうれん草は2cm長さに切り、長ねぎは小口切りにする。

2　耐熱性の器に1とAを入れてふんわりラップをし、電子レンジ（600W）で2分30秒加熱する。

■エネルギー14kcal
■食物繊維1.1g
■コレステロール2mg
■脂質0.1g
■塩分0.6g

もやしとしいたけの中華スープ

材料（1人分）

大豆もやし…40g（1/5袋）
しいたけ…20g（1枚）
水…3/4カップ
A｜鶏ガラスープの素…少々（0.3g）
　｜こしょう…少々
　｜しょうゆ…小さじ1/2
酢…小さじ1
赤唐辛子（輪切り）…3つ

作り方［調理時間 5分］

1　しいたけは薄切りにする。
2　耐熱性の器に水、Aを混ぜ、もやしと1、赤唐辛子を加えてふんわりラップする。電子レンジ（600W）で2分30秒加熱し、酢を加える。

- エネルギー 22kcal
- 食物繊維 1.9g
- コレステロール 0mg
- 脂質 0.5g
- 塩分 0.6g

電子レンジで加熱するだけ

小松菜と切り干し大根のみそ汁

材料（1人分）

小松菜…30g（1株弱）
切り干し大根…5g
A｜削り節…1g（1/4袋）
　｜みそ…小さじ2/3
　｜水…3/4カップ

- エネルギー 28kcal
- 食物繊維 1.8g
- コレステロール 2mg
- 脂質 0.3g
- 塩分 0.5g

作り方［調理時間 10分］（もどす時間除く）

1　切り干し大根はもみ洗いし、水に浸してもどし、食べやすい大きさに切る。小松菜は2cm長さに切る。
2　耐熱性の器にAを入れて混ぜ、1を加えてふんわりラップをし、電子レンジ（600W）で2分30秒加熱する。

キャベツとにらのごまみそ汁

材料（1人分）

キャベツ…30g（1/2枚）
にら…20g（1/5束）
A｜削り節…1g（1/4袋）
　｜みそ…小さじ2/3
　｜水…3/4カップ
白すりごま…小さじ1/2

作り方［調理時間 10分］

1　キャベツは短冊切りに、にらは2cm長さに切る。
2　耐熱性の器に、Aを混ぜ、1とすりごまを加えてふんわりラップをする。電子レンジ（600W）で2分30秒加熱する。

- エネルギー 29kcal
- 食物繊維 1.5g
- コレステロール 2mg
- 脂質 0.8g
- 塩分 0.5g

熱湯を注ぐだけ

ミニトマトとスプラウトのコンソメスープ

材料（1人分）

ミニトマト…45g（3個）
ブロッコリースプラウト…10g（1/2パック）
コンソメスープの素（固形）…1/8個
塩・こしょう…各少々
熱湯…120ml

作り方［調理時間 5分］

1　ミニトマトは半分に切り、コンソメスープの素は砕く。スプラウトは根の部分を切る。
2　器に1、塩、こしょうを入れ、熱湯を注ぎ、混ぜ合わせる。

- エネルギー 19kcal
- 食物繊維 0.8g
- コレステロール 0mg
- 脂質 0.1g
- 塩分 0.5g

> 熱湯を注ぐだけ

サラダ菜とコーンのカレーコンソメ

材料（1人分）
サラダ菜…20g（2枚）
ホールコーン（無塩）…20g
コンソメスープの素（固形）…1/8個
A｜カレー粉…2つまみ
　｜塩…少々
熱湯…120㎖

作り方［調理時間5分］
1　サラダ菜はちぎる。コンソメスープの素は砕く。
2　器に1とホールコーン、Aを入れて熱湯を注ぎ、混ぜる。

- エネルギー23kcal
- 食物繊維1.5g
- コレステロール0mg
- 脂質0.3g
- 塩分0.5g

きゅうりとザーサイの中華スープ

材料（1人分）
きゅうり…30g（1/3本）
ザーサイ（味付き）…5g
長ねぎ…5g（1㎝）
A｜鶏ガラスープの素…2つまみ
　｜塩・こしょう…各少々
熱湯…120㎖
ごま油…小さじ1/4

作り方［調理時間5分］
1　きゅうりは縦半分に切り、さらに斜め薄切りにする。ザーサイはせん切り、長ねぎは小口切りにする。
2　器に1、Aを入れて熱湯を注ぎ、ごま油をたらす。

とろろ昆布とたたき長いものすまし汁

- エネルギー32kcal
- 食物繊維1.2g
- コレステロール0mg
- 脂質0.1g
- 塩分0.7g

材料（1人分）
長いも…40g
A｜とろろ昆布…3g（3つまみ）
　｜塩…少々
　｜しょうゆ…小さじ1/4
熱湯…120㎖

作り方［調理時間5分］
1　長いもは皮をむき、綿棒などでたたく。
2　器に1、Aを入れ、熱湯を注ぎ、混ぜる。

- エネルギー18kcal
- 食物繊維0.7g
- コレステロール0mg
- 脂質1.0g
- 塩分0.7g

オクラとのりのすまし汁

材料（1人分）
オクラ…30g（大2本）
焼きのり…1.5g（1/2枚）
A｜削り節…1g（1/4袋）
　｜塩…少々
　｜しょうゆ…小さじ1/4
熱湯…120㎖

作り方［調理時間5分］
1　オクラは塩（分量外）で軽くこすり洗いして小口切りに、のりは手でもんでこまかくする。
2　器に1とAを入れ、熱湯を注ぐ。

- エネルギー17kcal
- 食物繊維2.0g
- コレステロール2mg
- 脂質0.1g
- 塩分0.5g

レタスとさくらえびのみそ汁

材料（1人分）

レタス…30g（1枚）
A｜さくらえび…3g（大さじ1）
　｜みそ…小さじ⅔
熱湯…120㎖
しょうが（すりおろし）…少々

作り方[調理時間5分]

1　レタスは短冊切りにする。
2　器に1、Aを入れて熱湯を注ぎ、混ぜ、しょうがをのせる。

- エネルギー20kcal
- 食物繊維0.7g
- コレステロール21mg
- 脂質0.3g
- 塩分0.6g

熱湯を注ぐだけ

カットわかめと水菜のみそ汁

材料（1人分）

水菜…30g（1½株）
カットわかめ…1g（小さじ1）
A｜みそ…小さじ⅔
　｜削り節…1g（¼袋）
熱湯…120㎖

作り方[調理時間5分]
（わかめをもどす時間除く）

1　水菜は1～2㎝長さに切る。カットわかめは水でもどす。
2　器に1、Aを入れて熱湯を注ぎ、混ぜる。

- エネルギー19kcal
- 食物繊維1.5g
- コレステロール2mg
- 脂質0.3g
- 塩分0.8g

刻みねぎと貝割れのみそ汁

材料（1人分）

長ねぎ…20g（4㎝）
貝割れ菜…20g（⅓袋）
A｜みそ…小さじ⅔
　｜削り節…1g（¼袋）
熱湯…120㎖

作り方[調理時間5分]

1　長ねぎは小口切りに、貝割れ菜は長さを半分に切る。
2　器に1とAを入れて熱湯を注ぎ、混ぜる。

- エネルギー22kcal
- 食物繊維1.1g
- コレステロール2mg
- 脂質0.3g
- 塩分0.5g

麩とみょうがのみそ汁

材料（1人分）

麩…1.2g（3個）
みょうが…20g（1個）
A｜みそ…小さじ⅔
　｜削り節…1g（¼袋）
熱湯…120㎖

作り方[調理時間5分]
（水にもどす時間除く）

1　麩は水に浸してもどし、水けをしぼる。みょうがは小口切りにする。
2　器に1、Aを入れて熱湯を注ぎ、混ぜる。

- エネルギー17kcal
- 食物繊維0.7g
- コレステロール2mg
- 脂質0.3g
- 塩分0.5g

千葉大学医学部附属病院が教える

コンビニ食品の上手な活用のしかた

仕事や家事で忙しく、昼はコンビニ食品で済ませるという人も少なくありません。そこで、脂質異常症の食事療法に役立つコンビニ食品の使い方を、管理栄養士の野本尚子先生に聞きました。

パッケージを確認し、エネルギー量のチェックを習慣化しよう

生活の中で身近にあるコンビニエンスストア。最近では、食事管理に役立つ情報もたくさんありますので、上手に活用したいですね。

コンビニ食品の多くには、エネルギー量の情報が記載されています。まずは、日頃からエネルギー量を確認する習慣をつけましょう。1食分の摂取エネルギーの目安は、1日の必要エネルギーの3割から4割くらいになるようにします。そのほか、たんぱく質、脂質、炭水化物、塩分（食塩相当量）、食物繊維などに着目し、メニューを選択しましょう。

選ぶときのコツは、から揚げなどの脂っこいメニューが食べたい場合には、主食はおにぎりなど脂肪を含まない食品を選択することです。

健康面にアプローチした商品が多数登場している

また、最近のコンビニは、健康志向により一部の栄養素を強化した食品などが豊富。賢く選べば健康管理にも役立ちます。特に、食物繊維を強化したパンやサラダなどはおすすめです。これらを上手に使えば、食物繊維もしっかりとれ、適正エネルギー量の範囲内で、スイーツも食べられます。使えそうな食品を、こまめにチェックしましょう。

栄養成分表示は意識していないと見落としがち。毎回チェックするクセをつけよう。また、「ブランパン」「ブランロール」などはいわゆるふすまパンのこと。小麦の表皮部分を多く使っており、高食物繊維・低糖質です。うまく取り入れて。

野本先生が提案！ コンビニ食品の組み合わせでできる！

平日5日分の昼食メニュー例

コンビニで扱っている商品を買ってくるだけでできる昼食のメニュー例を、
平日5日分考えました。献立作りの参考にしてみてください。

※各商品の栄養成分表示をもとに算出。数値はメーカーにより異なる。

月曜日

主食 ＋ **主菜1** ブランのサラダチキンマヨネーズパン（2個入り）
Point 低カロリーのサラダチキンをメインのおかずに

主菜2 ＋ **副菜** ツナコーンサラダ ＋ サウザンドレッシング（ノンオイル）

デザート ヨーグルト（無糖）
Point ヨーグルトはたんぱく源であると同時に、不足しがちなカルシウムもとれる

そのほか 紅茶（加糖）

合計 **577** kcal
- 食物繊維 10.3g
- 脂質 23.0g
- 食塩相当量 2.3g

火曜日

主食 ＋ **主菜1** ＋ **副菜1** そば
Point ゆで卵や海藻など、おかずも一緒にとれるものを選ぶ

主菜2 ＋ **副菜2** 16品目のサラダ

そのほか お茶
Point 野菜に加え、たんぱく源となる豆類などが入ったものがおすすめ

合計 **572** kcal
- 食物繊維 7.4g
- 脂質 16.2g
- 食塩相当量 4.2g

水曜日

主食 ＋ **主菜1** おにぎり2個（ツナマヨ、さけ）

主菜2 から揚げ
Point 揚げ物を食べたいときは、ほかで脂質の摂取量を抑えよう

副菜 うのはな

そのほか ほうじ茶

合計 **589** kcal
- 食物繊維 6.1g
- 脂質 16.1g
- 食塩相当量 3.7g

木曜日

主食 ＋ **主菜** 3色そぼろ弁当
Point 肉、卵、野菜の組み合わせでバランスよく

副菜 ひじき煮

デザート プリン
Point エネルギー量に余裕があればスイーツをつけてOK

そのほか お茶

合計 **616** kcal
- 食物繊維 4.7g
- 脂質 20.2g
- 食塩相当量 3.6g

金曜日

主食 ブランパン（2個入り）
Point 高食物繊維・低糖質のパンを利用

主菜 デミグラスハンバーグ

副菜 野菜ミックスサラダ＋サウザンドレッシング（ノンオイル）

デザート コーヒーゼリー
Point サラダでさらに食物繊維量をアップ

そのほか 野菜ジュース

合計 **504** kcal
- 食物繊維 14g
- 脂質 19.5g
- 食塩相当量 2.6g

Part 5

脂質と糖質を抑えつつ、ボリューム満点！
主食レシピ

ごはんもパンも麺も、糖質量をキープしつつ、
これまで食べていた主食とかわらないおいしさの24レシピを紹介。
献立に取り入れるときは、副菜を1品プラスしていただきましょう。
平日のランチにぴったりなお弁当も併せて紹介。

【INDEX】
- ●**主食で糖質&脂質を抑えるコツ**…p.162～163
- **ごはん**…p.164～169
- **パン**…p.170～173
- **麺**…p.174～179

コラム
- 外食は塩分控えめの和定食を。
  弁当は「半分以上が野菜&くだもの」に…p.180～190

ビビンバ (p.166)

鶏肉とかぶの
中華がゆ (p.165)

マカロニグラタン (p.176)

ねぎしらすトースト
(p.171)

主食で糖質&脂質を抑えるコツ

糖質は厳しく制限するのではなく、1食あたりの量を守り、食べすぎないように上手にコントロールします。主食を玄米や胚芽米などに置き換えるのもおすすめです。

1 どんぶりものや麺類、サンドイッチは 具だくさん&副菜追加 が鉄則

親子丼や牛丼などのどんぶりもの、ラーメンやパスタなどの麺類は糖質が中心で、栄養バランスが偏りがち。家庭で作る場合は具だくさんにするか、副菜をプラスして食物繊維やビタミン、ミネラルを補えるようにします。

外食時など量が多いときはごはんや麺を残すか、オーダー時に少なめにしてもらうようお願いしましょう。

主食 + 主菜　　副菜 1〜2品

チキン野菜サンド → p.172

わかめとレタスの煮浸し → p.137

ブロッコリーの洋風白和え → p.123

主食や主菜に含まれていない食材を副菜で追加する。野菜や海藻、きのこなど食物繊維がとれるものがおすすめ。

2 主食は ふつう盛り で1種類 を守ろう

ラーメンとごはんまたはチャーハン、パスタとパン、うどんとおにぎりなど主食同士を組み合わせるのはNGです。1食につき主食となる糖質は1種類とし、大盛りもやめましょう。

どうしてもごはんを食べすぎてしまう人は、適正量を守れるように工夫することが大切。1食あたりの実際の量をキッチンスケールで量り、目で見て覚えておくようにするとよいでしょう。

1食ごとに計量するのが面倒なら、自分の茶碗のどれくらいまで盛りつければよいのか、柄や模様を目印にするとよい。

▶ 1日1800kcal食べていい人の、1食あたりの主食の量をおさらい

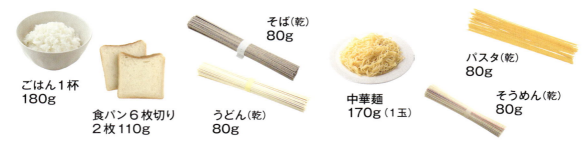

ごはん1杯 180g

食パン6枚切り 2枚110g

そば(乾) 80g

うどん(乾) 80g

中華麺 170g (1玉)

パスタ(乾) 80g

そうめん(乾) 80g

3 玄米や胚芽米、ライ麦パンを取り入れよう

1日あたりの食物繊維の摂取量が不足しやすい場合は、主食を精製度の低いものにするとよいでしょう。精白米を玄米や胚芽米などに、パンはライ麦パンに、パスタは全粒粉のものに替えればOK。

精製度が低いものは食物繊維が多く、腹もちがよいのが特徴です。また、噛みごたえもあり、よく噛むことで満腹感が得られやすく食べすぎ防止につながります。特に中性脂肪値が高い人にはおすすめです。

▶ 置き換えるだけで食物繊維量がアップ

玄米ごはん（170g）
食物繊維 2.3g
白米の約5.8倍

ライ麦パン（110g）
食物繊維 6.2g
食パンの約1.4倍

[そのほかの置き換え食材と食物繊維]

	胚芽ごはん（170g）	赤飯（170g）	フランスパン（110g）
食物繊維	1.4g	2.7g	3.0g

（カッコ内の重量は目安量。数値は「日本食品標準成分表2020年版（八訂）」より、プロスキー変法等による比較）

4 パンにはバターよりオリーブ油を

パンにはバターやマーガリンを塗る人も多いようですが、コレステロール値や中性脂肪値が高い人にとっては避けたいもののひとつです。

バターは動物性脂肪で飽和脂肪酸が多く、マーガリンは植物性脂肪で不飽和脂肪酸ですが、コレステロールを上げるトランス脂肪酸（p.23）も多いため、動脈硬化の原因になるからです。パンに何かつけたいときは、コレステロールを下げる働きがあるオリーブ油がおすすめです。

▶ オリーブ油の特徴

- オリーブの実が主原料
- 主成分はn-9系不飽和脂肪酸のオレイン酸
- 血液中のコレステロールを減らす

オリーブ油は直接かけるのではなく、小皿に出して少しずつつけて食べる。

5 麺類は麺と具だけ食べ、汁は残す

ラーメンやうどん、そば、スープスパゲッティなどの麺類は、麺と具だけを食べて、汁はできるだけ飲まないようにします。

スープに溶けこんだ脂質や塩分をすべてとると、摂取エネルギーも塩分量もオーバーしやすくなるからです。特に血圧が高く、減塩している人は、汁は味をみる程度にし、飲み干さないようにしましょう。

・Check!

中性脂肪が高めの人は、糖質は"ちょいオフ"くらいがちょうどいい

糖質を制限すると中性脂肪が下がりやすくなりますが、糖質を一切とらないとおかずの量が増えて、脂質やたんぱく質などをとりすぎてしまう傾向が。そのため、極端な糖質制限をするより、ごはんを玄米に置き換えるといった"ちょいオフ"程度に抑えたほうが長続きしやすく、中性脂肪も下がりやすくなります。

ごはんを減らしすぎると、脂質やたんぱく質を多くとりすぎて、コレステロール値や中性脂肪値が上がりがちに。適量を守り、バランスよく食べましょう。

ごはん

とろみをつけて肉のうまみを閉じこめる
牛丼

材料（1人分）

牛もも薄切り肉(赤身)	60g
長ねぎ	25g（¼本）
白菜	80g（小1枚）
えのきたけ	40g（⅕袋弱）
サラダ油	小さじ1
A　だし	¼カップ
砂糖	小さじ½
しょうゆ・酒	各小さじ2
B　片栗粉	少々（0.4g）
水	小さじ½
温かいごはん	180g

作り方［調理時間 15分］

1. 牛肉はひと口大に、長ねぎは斜め切りに、白菜は短冊切りに、えのきたけは半分の長さに切る。
2. フライパンを中火で熱し、サラダ油を入れて長ねぎを焼く。火が通ったら牛肉、白菜、えのきたけを入れて炒め、Aを加える。沸騰したら2～3分煮て、Bの水溶き片栗粉で軽くとろみをつける。
3. 器にごはんを盛り、2をかける。

エネルギー	食物繊維	コレステロール	脂質	塩分
484kcal	5.9g	41mg	9.8g	1.9g

主食 | ごはん

シャキシャキレタスがアクセントに
レタスチャーハン

材料（1人分）

玉ねぎ	25g（¼個）
しいたけ	20g（1枚）
レタス	30g（1枚）
しょうが（みじん切り）	薄切り2枚分
えび	100g（5尾）
塩	少々（0.3g）
こしょう	少々
温かいごはん	180g
A 溶き卵	25g（½個）
塩	少々（0.6g）
こしょう	少々
サラダ油	小さじ1
酒・しょうゆ	各小さじ1

作り方［調理時間15分］

1. 玉ねぎ、しいたけは小さめの角切りに、レタスは大きめの角切りに、しょうがはみじん切りにする。えびは背ワタをとり殻をむいて粗く刻み、塩、こしょうをふる。
2. ごはんに、Aを混ぜ合わせる。
3. フライパンを中火で熱してサラダ油を入れ、玉ねぎ、しいたけ、しょうが、えびを炒める。火が通ったら2を加えて炒め、酒、しょうゆ、レタスを加えて、炒め合わせる。

エネルギー	食物繊維	コレステロール	脂質	塩分
444kcal	4.4g	220mg	6.7g	2.2g

食べる直前に酢じょうゆをかけて
鶏肉とかぶの中華がゆ

材料（1人分）

鶏もも肉（皮なし）	60g
かぶ	60g（1個）
かぶの葉	40g
しょうが（せん切り）	薄切り1枚分
酒	小さじ2
水	1¼カップ
ごはん	150g
塩	少々（0.3g）
ザーサイ（味付き／せん切り）	5g
長ねぎ	15g（3cm）
A 酢	小さじ½
しょうゆ	小さじ1
ごま油	小さじ¼

作り方［調理時間20分］

1. 鶏肉はひと口大に、かぶはくし形に、かぶの葉は小口切りにする。
2. 鍋に水、酒、鶏肉、かぶ、しょうが、かぶの葉を入れてふたをして中火にかける。沸騰したら弱火で10分くらい煮る。ごはんを加えてさらに5分くらい煮て、塩を加える。
3. 器に盛り、芯をとってせん切りにしたねぎと、ザーサイをのせ、よく混ぜたAを回しかける。

エネルギー	食物繊維	コレステロール	脂質	塩分
355kcal	4.8g	53mg	4.0g	1.6g

具だくさんで食べごたえあり!
中華丼

材料(1人分)
豚もも薄切り肉		90g
A	しょうゆ	小さじ½
	こしょう	少々
	片栗粉	小さじ½
長ねぎ		20g(4cm)
チンゲン菜		100g(1株弱)
にんにく(薄切り)		1枚
ごま油		小さじ1
B	水	½カップ
	鶏ガラスープの素	小さじ¼
	しょうゆ	小さじ1
	オイスターソース	小さじ¼
C	片栗粉	小さじ½
	水	小さじ2
温かいごはん		180g

作り方 [調理時間15分]

1. 豚肉はひと口大に切り、Aをもみこむ。ねぎは斜め小口切りに、チンゲン菜は3cm長さに切る。
2. フライパンを中火で熱してごま油を入れ、豚肉、にんにく、長ねぎを入れて炒める。火が通ったらチンゲン菜を加えてさらに炒め、Bを加えて煮立てる。さらにCの水溶き片栗粉でとろみをつけ、ひと煮立ちさせる。
3. 器にごはんを盛り、2をかける。

エネルギー	食物繊維	コレステロール	脂質	塩分
478kcal	4.5g	60mg	9.3g	2.0g

たっぷり野菜でボリュームアップ
ビビンパ

材料(1人分)
牛もも薄切り肉(赤身)		80g
A	しょうゆ	小さじ1
	砂糖	小さじ⅓
	にんにく(みじん切り)	少々
きゅうり		45g(½本)
大豆もやし		50g(¼袋)
にんじん		40g(4cm)
ごま油		小さじ1
塩		少々(0.75g)
こしょう・粉唐辛子		各少々
温かいごはん		180g
白いりごま		少々

作り方 [調理時間15分]

1. 牛肉は太めのせん切りにし、Aをもみこむ。きゅうりは縦半分に切り、斜め薄切りにする。
2. にんじんはせん切りにし、大豆もやしと一緒に耐熱性の器に入れ、ラップをかけて電子レンジ(600W)で1分30秒加熱する。
3. フライパンを中火で熱してごま油を入れ、牛肉をほぐしながら炒める。2ときゅうりを加えてさらに炒め、塩、こしょう、粉唐辛子を加えて味を調える。
4. 器にごはんを盛り、3をかけ、ごまをちらす。

エネルギー	食物繊維	コレステロール	脂質	塩分
495kcal	5.4g	54mg	12.4g	1.7g

主食 ごはん

市販のルーを使わず脂質をカット
スープカレー

材料（1人分）

玉ねぎ	………………	50g（¼個）
にんにく	……………	¼かけ
しょうが	……………	¼かけ
鶏もも肉（皮なし）	……	80g
A　カレー粉	…………	小さじ⅙
塩	……………………	少々（0.5g）
ヨーグルト（無糖）	…	大さじ3
なす	…………………	80g（1個）
パプリカ（赤）	………	40g（約⅕個）
オリーブ油	…………	小さじ1
クミン・コリアンダー	…	各少々
カレー粉	……………	小さじ2
B　トマト水煮缶（カット）	…	50g
水	……………………	1カップ
ケチャップ	………	小さじ2
ローリエ	…………	½枚
しょうゆ	……………	小さじ1
温かいごはん	………	180g

作り方［調理時間30分］

1. 玉ねぎ、にんにく、しょうがはみじん切りにする。鶏肉はひと口大に切り、Aをもみこむ。
2. なすはへたを切り、ところどころ皮をむいて輪切りにする。パプリカは乱切りにする。
3. 鍋にオリーブ油を中火で熱し、玉ねぎを中火〜弱火で炒め、きつね色になったらにんにくとしょうがを炒める。香りが出たらクミン、コリアンダー、カレー粉を加えてさっと炒め、Bを入れて煮立てる。1の鶏肉をつけ汁ごと加え、2も加えてふたをし、沸騰したら弱火で15分くらい煮る。しょうゆで味を調える。
4. 器に盛り、ごはんを添える。

エネルギー	食物繊維	コレステロール	脂質	塩分
518kcal	8.4g	77mg	9.7g	1.9g

167

卵1個でも炒り卵にすれば大満足のオムライスに
炒り卵のせオムライス

材料（1人分）

卵	50g（1個）
牛乳	小さじ2
こしょう	少々
バター	小さじ½
鶏むね肉（皮なし）	60g
玉ねぎ	30g（⅙個）
パプリカ（赤）	30g（⅙個）
マッシュルーム	45g（3個）
オリーブ油	小さじ1
ケチャップ	大さじ2
塩	少々（0.6g）
こしょう	少々
温かいごはん	180g

作り方 ［調理時間20分］

1. 玉ねぎ、パプリカ、鶏肉はそれぞれ小さめの角切りに、マッシュルームは薄切りにする。
2. フライパンを中火で熱してオリーブ油を入れ、玉ねぎと鶏肉を炒める。火が通ったらマッシュルームとパプリカを加えてさらに炒め、ケチャップを混ぜる。ごはんを加えて炒め合わせ、塩、こしょうで味を調え、器に盛る。
3. 卵を割りほぐし、牛乳とこしょうを混ぜる。フライパンにバターを溶かし、中火で半熟状の炒り卵を作り、2にのせる。

エネルギー	食物繊維	コレステロール	脂質	塩分
528kcal	5.0g	234mg	11.9g	1.8g

主食 | ごはん

トマトの酸味が濃厚なアボカドに合う
アボカドトマトリゾット

材料（1人分）

雑穀入りごはん（レトルト）	160g（1パック）
玉ねぎ	20g（1/10個）
トマト	80g（1/2個）
アボカド	30g（1/5個）
鶏むね肉（皮なし）	70g
塩・こしょう	各少々
オリーブ油	小さじ1
水	1カップ
コンソメスープの素（固形）	1/8個
塩	小さじ1/6
こしょう	少々
パルメザンチーズ	小さじ1

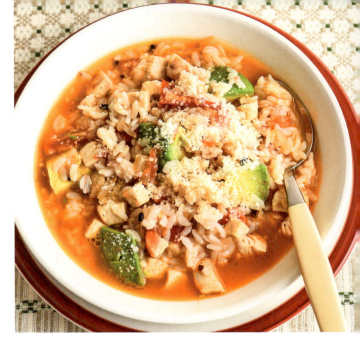

作り方 [調理時間30分]

1. 玉ねぎはみじん切りに、トマトとアボカドは乱切りにする。鶏肉は小さめの角切りにし、塩、こしょうをふる。
2. 鍋にオリーブ油を中火で熱して玉ねぎを炒める。鶏肉を加えてさらに炒め、水、コンソメスープの素、トマトを入れて煮立てる。ごはんを加えて沸騰したら弱火で7〜8分煮る。アボカドを加え、塩、こしょうで味を調える。
3. 器に盛り、パルメザンチーズをかける。

エネルギー	食物繊維	コレステロール	脂質	塩分
456kcal	3.7g	53mg	10.5g	1.7g

酢飯にきゅうりや水菜を混ぜれば野菜がとれる
鉄火丼

材料（1人分）

温かいごはん	180g
A　酢	大さじ1
塩	小さじ1/6
砂糖	小さじ1/3
しょうが（みじん切り）	薄切り1枚分
水菜	30g（1 1/2株）
きゅうり	45g（1/2本）
しそ	1枚
まぐろ（赤身／さしみ用）	90g
しょうゆ	小さじ1
ごま油	小さじ1/4
わさび	少々

作り方 [調理時間10分（冷ます時間除く）]

1. ごはんにAを混ぜて酢飯を作って冷ます。
2. 水菜は2cm長さに切り、きゅうりは1cmの角切りに、しそは手でちぎり、1に混ぜ合わせる。
3. まぐろは薄切りにして、しょうゆとごま油を混ぜる。
4. 器に2を盛って3をのせ、わさびを添える。

エネルギー	食物繊維	コレステロール	脂質	塩分
425kcal	4.2g	45mg	2.1g	2.0g

全粒粉やライ麦など精製していない粉が使われているパンにすれば、パンからも食物繊維をとることが可能。ふつうのパンに比べて脂質量が少ないのも魅力です。

パン

ケチャップソースがトマトとレタスになじんでおいしい
バーベキューポークサンド

材料（1人分）
- 食パン（全粒粉）……… 90g（8枚切り2枚）
- 豚もも薄切り肉（赤身）… 60g
- オリーブ油 …………… 小さじ¼
- A ケチャップ ……… 小さじ2
  ウスターソース …… 小さじ½
- 玉ねぎ ………………… 10g（1/20個）
- トマト ………………… 20g（1/8個）
- B マヨネーズ ……… 小さじ1
  粒マスタード …… 小さじ½
- レタス ………………… 30g（1枚）

作り方 ［調理時間15分］
1. フライパンを中火で熱し、オリーブ油を入れて豚肉を両面とも焼く。よく混ぜたAを加えてからめる。
2. 玉ねぎはせん切りにして水にさらし、水けをきる。トマトは輪切りにする。
3. Bをよく混ぜて、食パンのそれぞれ片面だけに塗る。その上にパンの大きさにたたんだレタス、1、2をおき、もう1枚のパンをのせる。ラップでぴったり包んで切り分ける。

エネルギー	食物繊維	コレステロール	脂質	塩分
375kcal	4.9g	45mg	12.3g	1.7g

170

主食 | パン

オレンジの酸味がさわやか
えびチーズサンド

材料（1人分）

食パン（全粒粉）	90g（8枚切り2枚）
えび	75g（5尾）
レモン汁	小さじ½
カッテージチーズ（裏ごしタイプ）	50g
オレンジ	50g（½個）
こしょう	少々
ルッコラ	20g

作り方[調理時間 10分]

1. えびは背ワタをとってゆでる。殻をむき、レモン汁と混ぜる。ルッコラは食べやすい大きさに切る。
2. オレンジはざく切りにし、チーズ、こしょうと混ぜ合わせる。
3. パンにルッコラ、えび、2をサンドして切り分ける。

エネルギー	食物繊維	コレステロール	脂質	塩分
350kcal	5.0g	106mg	7.0g	1.7g

和風食材が意外とパンに合う
ねぎしらすトースト

材料（1人分）

食パン（全粒粉）	90g（6枚切り1½枚）
長ねぎ	20g（4cm）
しらす	大さじ2
パルメザンチーズ	小さじ1
こしょう	少々
オリーブ油	小さじ½

作り方[調理時間 15分]

1. 食パンは大きいほうを半分に切り、長ねぎはみじん切りにする。しらすは熱湯を回しかける。
2. パンに長ねぎ、しらすをのせ、パルメザンチーズ、こしょうをふりかける。オリーブ油をかけてオーブントースターに入れ、8～10分焼く。

エネルギー	食物繊維	コレステロール	脂質	塩分
271kcal	4.6g	27mg	7.5g	1.4g

しゃきしゃき野菜をたっぷり挟んで
チキン野菜サンド

材料（1人分）

食パン（全粒粉）	90g（8枚切り2枚）
鶏むね肉（皮なし）	60g
塩・こしょう	各少々
オレガノ	少々
にんじん	40g（4cm）
A　塩・こしょう	各少々
酢	小さじ1
砂糖	ひとつまみ
マスタード	小さじ1/4
ブロッコリースプラウト	20g
レタス	15g（1/2枚）
オリーブ油	小さじ1/4

作り方［調理時間 15 分（味をなじませる時間除く）］

1. にんじんはせん切りにして、Aとよく混ぜ合わせ、10分程度置いて味をなじませる。
2. 鶏肉は薄切りにし、塩、こしょう、オレガノをふる。フライパンを中火で熱し、オリーブ油で鶏肉を両面とも焼き、火を通す。
3. パンの大きさに、たたんだレタス、2、汁けをきったにんじん、スプラウトをパンにのせてサンドする。ラップでぴったり包み、切り分ける。

エネルギー	食物繊維	コレステロール	脂質	塩分
323kcal	5.6g	43mg	7.1g	1.7g

主食 | パン

ほくほくのかぼちゃサラダにチーズが合う
かぼちゃサンド

材料（1人分）
ライ麦パン	…………	90g（2枚）
かぼちゃ	…………	60g
A 玉ねぎ（みじん切り）	‥	小さじ1
酢	…………	小さじ½
塩・こしょう	……	各少々
さけるチーズ	………	20g
レタス	…………	15g（½枚）
マヨネーズ	…………	小さじ1

作り方［調理時間10分］

1. かぼちゃは種とワタをとり除き、ラップで包んで電子レンジ（600W）で2分加熱する。粗くつぶしてAと混ぜ合わせる。
2. さけるチーズは手で細くさく。パンの片面にそれぞれマヨネーズを塗り、レタス、チーズ、1をのせ、もう1枚のパンでサンドする。

エネルギー	食物繊維	コレステロール	脂質	塩分
376kcal	7.4g	22mg	10.1g	1.9g

甘すぎないから朝食にぴったり
フレンチトースト

材料（1人分）
食パン（全粒粉）	………	90g（6枚切り1½枚）
A 牛乳	…………	½カップ
卵	…………	45g（小1個）
バニラエッセンス	…	少々
サラダ油	…………	小さじ½
自然派甘味料*	……	小さじ1½
シナモンパウダー	……	少々

＊ラカントなど

作り方［調理時間20分］

1. 食パンは大きいほうを半分に切る。Aを混ぜ合わせて食パンを加え、卵液を吸わせる。
2. フライパンにサラダ油とパンを入れ中火にかけ、ふたをして1分くらい焼き、弱火にして4分くらい焼く。もう片面も同様に焼き、器に盛り、自然派甘味料、シナモンをふりかける。

エネルギー	食物繊維	コレステロール	脂質	塩分
372kcal	4.1g	179mg	14.7g	1.2g

日本そば以外の麺類には、塩分が含まれています。汁そばを食べる場合は野菜多めの具だくさんにし、野菜から食べましょう。また、スープは飲み干さず味見程度に。

しっかりとしたトマト味で具だくさん
なす入りミートソーススパゲティ

材料（1人分）

合いびき肉（赤身）	60g
玉ねぎ	20g（1/10個）
セロリ	10g（1/10本）
まいたけ	40g（1/2袋）
にんにく（薄切り）	1枚
なす	80g（1個）
オリーブ油	小さじ1
A トマト水煮缶（カット）	150g
赤ワイン	大さじ1
コンソメスープの素（固形）	1/8個
ローリエ	1/4枚
こしょう・ナツメグ	各少々
塩	小さじ1/4
スパゲティ	80g
パルメザンチーズ	小さじ1/2

作り方［調理時間20分］

1. 玉ねぎ、セロリ、にんにくはみじん切りに、なす、まいたけは小さめの角切りにする。
2. スパゲティは袋の表示通りにゆでる（ただし塩は入れない）。
3. フライパンを中火で熱し、オリーブ油を入れて玉ねぎを炒める。しんなりしたらセロリ、にんにくを加えて炒め、ひき肉を加えてさらに炒める。火が通ったら、なすとまいたけを加えてさらに炒める。Aを入れて混ぜ、ふたをする。沸騰したら弱火にし、10分くらい煮る。塩を加えて混ぜ合わせる。
4. 水けをきった2を器に盛り、3をかけてパルメザンチーズをふる。

エネルギー	食物繊維	コレステロール	脂質	塩分
489kcal	9.9g	42mg	10.6g	1.8g

主食 / 麺

無塩のトマトジュースで簡単おいしい
ナポリタン

材料（1人分）

スパゲティ	80g
えび	100g (5尾)
こしょう	少々
玉ねぎ	50g (¼個)
ピーマン	30g (1個)
エリンギ	30g (¾本)
にんにく（みじん切り）	薄切り1枚分
オリーブ油	小さじ1
A　トマトジュース（無塩）	¼カップ
ケチャップ	大さじ1
塩	小さじ⅕
こしょう	少々

作り方［調理時間**20**分］

1. えびは背ワタをとり、殻をむいてこしょうを混ぜる。玉ねぎはせん切りに、ピーマンは薄い輪切りに、エリンギは軸を輪切りに、カサはくし形に切る。
2. スパゲティは袋の表示通りにゆでる（ただし塩は入れない）。
3. フライパンを熱してオリーブ油とにんにくを入れ、1を炒める。油が回ったらAを入れ、水けをきったスパゲティを加えて炒め、塩、こしょうで味を調える。

エネルギー	食物繊維	コレステロール	脂質	塩分
437kcal	7.4g	128mg	5.4g	2.0g

たっぷりきのこで食物繊維がとれる
きのこと鶏肉の和風スパゲティ

材料（1人分）

鶏むね肉（皮なし）	70g
塩	少々 (0.3g)
こしょう	少々
しめじ	60g (⅓袋)
えのきたけ	60g (⅓袋)
長ねぎ	25g (¼本)
水菜	50g (2½株)
オリーブ油	小さじ1
赤唐辛子（輪切り）	¼本分
にんにく（みじん切り）	¼かけ
塩	少々 (0.3g)
しょうゆ	小さじ1
スパゲティ	80g

作り方［調理時間**20**分］

1. 鶏肉は薄切りにして塩、こしょうをふる。しめじは小房に分け、えのきたけはほぐす。長ねぎは斜め薄切りにする。水菜は3cm長さに切る。
2. スパゲティは袋の表示通りにゆでる（ただし塩は入れない）。
3. フライパンを中火で熱して、オリーブ油を入れて鶏肉を両面とも焼く。長ねぎ、にんにく、唐辛子を入れて炒め、香りが出たらしめじとえのきたけを炒める。
4. 水けをきったスパゲティと塩、しょうゆを炒め合わせ、水菜を加えて混ぜる。

エネルギー	食物繊維	コレステロール	脂質	塩分
448kcal	11.0g	51mg	6.5g	1.6g

バターを使わなくても濃厚なホワイトソース

マカロニグラタン

材料（1人分）

マカロニ	60g
ほうれん草	50g（大2株）
玉ねぎ	30g（1/6個）
鶏むね肉（皮なし）	70g
塩	少々（0.3g）
こしょう	少々
しめじ	40g（1/4袋強）
オリーブ油	小さじ1
小麦粉	小さじ2
牛乳	3/4カップ
塩	小さじ1/4
こしょう	少々
パルメザンチーズ	小さじ2

エネルギー	食物繊維	コレステロール	脂質	塩分
480kcal	6.6g	74mg	12.9g	2.2g

作り方［調理時間20分］

1. マカロニは袋の表示通りにゆでる（ただし塩は入れない）。ほうれん草もゆでて2cm長さに切る。

2. 玉ねぎはせん切りに、鶏肉は薄切りにして塩、こしょうをふる。しめじは小房に分ける。

3. フライパンを中火で熱し、オリーブ油を入れて鶏肉と玉ねぎを炒め、小麦粉を加えて弱火にし、焦がさないように炒める。牛乳を加え混ぜて煮立て、しめじ、マカロニを入れて煮、塩、こしょうで味を調える。

4. ほうれん草を混ぜ合わせて、耐熱性の器に入れ、パルメザンチーズをかけてオーブントースターで10分焼く。

主食 / 麺

カレーうどん
汁が少なめなので完食もOK!

エネルギー	食物繊維	コレステロール	脂質	塩分
347kcal	5.1g	40mg	6.1g	2.2g

材料（1人分）
- うどん(冷凍) ……… 1玉
- 豚もも薄切り肉(赤身)… 60g
- 玉ねぎ ……… 30g (1/6個)
- ブロッコリー ……… 30g (1/8株)
- サラダ油 ……… 小さじ1/2
- A
  - だし ……… 1 1/2カップ
  - しょうゆ ……… 小さじ1 1/2
  - みりん ……… 小さじ1
- B
  - カレー粉 ……… 小さじ1
  - 片栗粉 ……… 小さじ2
  - 水 ……… 大さじ1 1/2

作り方［調理時間15分］
1. 豚肉はひと口大に切り、玉ねぎはせん切りに、ブロッコリーは小房に分ける。
2. 鍋にサラダ油を中火で熱し、玉ねぎと豚肉を炒める。Aを入れて煮立て、袋の表示通りに電子レンジ(600W)で解凍したうどん、ブロッコリーを加えてひと煮立ちさせる。Bを混ぜ合わせてとろみをつけ、再度ひと煮立ちさせる。

ごまだれ和えそば
練りごまと豆乳でコクのあるたれに仕上げる

材料（1人分）
- そば(乾) ……… 80g
- 豚ももしゃぶしゃぶ用肉… 60g
- 小ねぎ ……… 10g (3本)
- 水菜 ……… 40g (2株)
- みょうが ……… 20g (1個)
- 白練りごま ……… 小さじ2
- しょうゆ ……… 小さじ2
- 豆乳 ……… 大さじ5
- 酢 ……… 小さじ1

作り方［調理時間20分］
1. そばは袋の表示通りにゆでて水で洗い、水けをしっかりきる。豚肉はゆで、小ねぎはざく切りにし、水菜は3cm長さに切り、みょうがは小口切りにする。
2. 練りごまにしょうゆを少しずつ加えながら混ぜ、豆乳、酢を加えて混ぜ合わせる。
3. 1をすべて器に盛り、2を回しかける。

エネルギー	食物繊維	コレステロール	脂質	塩分
501kcal	6.4g	40mg	13.5g	2.0g

さっぱり味のチキンスープで
フォー風そうめん

材料（1人分）

そうめん（乾）	80g
鶏むね肉（皮なし）	70g
しいたけ	20g（1枚）
大豆もやし	50g（¼袋）
A　水	1½カップ
鶏ガラスープの素	小さじ¼
酒	小さじ2
ナンプラー	小さじ1
赤唐辛子	¼本
しょうが（薄切り）	1枚
香菜	5g
レモン（薄い半月切り）	1枚

作り方［調理時間15分］

1. そうめんは袋の表示通りゆでて水で洗い、水けをきる。鶏肉としいたけは薄切りにする。
2. 鍋にAを入れて中火で煮立て、鶏肉としいたけ、大豆もやし、しょうが、唐辛子を加えて煮る。ナンプラーで味を調え、そうめんを入れてさっと煮る。
3. 器に盛り、ざく切りにした香菜とレモンを添える。

エネルギー	食物繊維	コレステロール	脂質	塩分
361kcal	5.5g	50mg	2.9g	2.5g

皮ごとすりおろしたトマトで栄養満点！
トマトそうめん

材料（1人分）

そうめん（乾）	80g
鶏ささみ	80g
塩	少々（0.3g）
酒	小さじ1
きゅうり	45g（½本）
オクラ	45g（大3本）
しそ	2枚
トマト	80g（½個）
A　だし	¼カップ
しょうゆ	小さじ1½
みりん	小さじ½
酢	小さじ1½

作り方［調理時間15分（冷ます時間除く）］

1. そうめんは袋の表示通りにゆで、水で洗い、水けをきる。
2. ささみは耐熱性の器に入れ、塩、酒をふってラップし、電子レンジ（600W）で2分加熱し、冷ましてからさく。きゅうりは縦2等分に切ってから斜め薄切りにし、オクラはゆでて食べやすい大きさに切り、しそはせん切りにする。
3. トマトは皮つきのまますりおろし、Aと混ぜてたれを作る。
4. 器に1と2を盛り、3のたれをかける。

エネルギー	食物繊維	コレステロール	脂質	塩分
404kcal	5.7g	53mg	1.3g	2.5g

主食 / 麺

ソース味より塩分が控えめ
塩焼きそば

材料（1人分）
- 中華蒸し麺 …………… 170g（1玉）
- 豚もも薄切り肉（赤身）… 60g
  - こしょう ………… 少々
- にら ……………… 40g（約½束）
- にんじん ………… 20g（2cm）
- 大豆もやし ……… 100g（½袋）
- にんにく（薄切り）…… 1枚
- ごま油 …………… 小さじ1
- 塩 ………………… 少々（0.3g）
- ナンプラー ……… 小さじ1
- レモン（くし形切り）… 1切れ

作り方 [調理時間15分]

1. 中華麺は、袋のまま電子レンジ（600W）で40秒加熱し、ほぐす。
2. 豚肉は太めのせん切りにしてこしょうをする。にらは3cm長さに切り、にんじんはせん切りにしてラップで包み、電子レンジ（600W）で30秒加熱する。にんにくはせん切りにする。
3. フライパンを中火で熱してごま油を入れ、豚肉、にんにくを入れてほぐしながら炒める。大豆もやし、にんじんを加えて炒め、1を加えて炒める。火が通ったらにら、塩、ナンプラーを加えて炒め合わせる。
4. 器に盛り、レモンを添える。

エネルギー	食物繊維	コレステロール	脂質	塩分
441kcal	9.2g	40mg	10.8g	2.3g

コラム

外食は塩分控えめの和定食を。
弁当は「半分以上が野菜&くだもの」に

食事療法で管理が難しいのが、外食や持ち帰りのお弁当・お惣菜を利用するとき。
脂質だけでなく塩分過多になりやすいため、献立選びが重要になってきます。

外食の店選びでおさえておきたいポイント

ポイント1 定食が食べられる
単品料理よりも栄養バランスがとりやすく、量の加減もしやすい。夜も定食が食べられるお店なら理想的。

ポイント2 野菜のおかずが多い
食物繊維がとれるように、お浸しや酢のもの、ひじきの煮ものなどのおかずが豊富にあること。納豆や冷奴などの大豆製品も単品メニューとしておすすめ。

ポイント3 通勤途中や勤務先の近くにある
近くて便利なほうが通いやすい。仕事でよく出かける場所や自宅付近のお店も探しておくとよい。

➡ コンビニ食品を活用する場合はp.159～160をチェック！

外食に偏りがちな人は"店選び"に力を入れよう

仕事や家庭の事情で外食が多い場合は、栄養バランスが偏らないように、できるだけ献立の選択肢が多いお店を選ぶことがポイントです。

外食時のおすすめは、和食の定食があるところ。洋食のおかずは脂質が多く、エネルギーも高めになりがちだからです。その点、和食中心のお店なら焼き魚やさしみなどの魚料理もあり、食物繊維を補える野菜や、納豆や冷ややっこといった大豆製品など、単品のおかずをプラスできるため、選択肢が増えて献立も選びやすくなります。

ただ、和食は塩分が多くなりがちなので、漬けものやみそ汁を残すなどして減塩することが大切です。

洋食のお店ではできるだけ脂質が少なく、野菜が多いメニューを選びます。サラダにはノンオイルドレッシングを。職場で食事をとることが多い人は、ノ

手作り弁当を用意するときのポイント

副菜
野菜のおかずの3分の1は緑黄色野菜に

緑黄色野菜には抗酸化成分が豊富で、動脈硬化の予防によいとされています。野菜のおかずの3分の1は、トマトやにんじん、パプリカ、ほうれん草、かぼちゃなど色の濃い野菜を。

主菜
たんぱく源となるおかずは揚げていないものを

から揚げやとんかつ、天ぷらなどの揚げものは控えましょう。肉や魚は焼くか煮て。また、卵焼きよりもゆで卵、ウインナーよりも魚肉ソーセージというように、少しでも脂質の少ないものを選ぶようにします。

くだもの
そのまま持って行けるものか食べやすいものがよい

りんごやいちごなどのくだものは、別容器に入れて。みかんやバナナなど、そのまま持って行けるものもおすすめです。キウイフルーツは半分に切って持って行けば、スプーンですくって食べられます。

主食
ごはんは適量を守る。玄米ごはんもおすすめ

お弁当箱のサイズに合わせて詰めるのではなく、1食あたりの摂取エネルギーの範囲内におさまる量を詰めましょう。いつものごはん茶碗に盛り、それをお弁当箱に移し替えれば、量らなくてもOK。

弁当の半分以上が野菜&くだものになるようにする

手作り弁当持参がベスト。おかずの比率を工夫しよう

コレステロール値や中性脂肪値の改善には、栄養バランスがとりやすく、エネルギーや脂質・塩分量などを管理しやすい手作りのお弁当が理想的です。お弁当を作る場合は、上記のルールを守れば栄養バランスがとりやすくなります。特におすすめしたいのがくだものです。みかんやりんご、キウイフルーツなどそのまま持って行けるものなら手軽ですし、血中脂質を減らす効果もあります（p.192）。

1食あたりの摂取エネルギーの範囲内におさめるようにするとよいでしょう。

最近では、ファミリーレストランなどでメニューにエネルギー量や塩分量、糖質量を表示しているところも増えています。こうした表示を参考にして、自家製の"マイ・ドレッシング"を冷蔵庫に常備するのもおすすめです。

ンオイルで酢やレモン汁を多めにした

副菜1
わかめとセロリのたらこ炒め

材料（1人分）

わかめ(塩蔵)	10g
セロリ	40g (2/5本)
たらこ	10g (1/8腹)
オリーブ油	小さじ1/2

作り方 [調理時間 5分（わかめをもどす時間除く）]

1. わかめは水で洗い、かためにもどしてひと口大に切る。セロリは筋をとり、斜め薄切りにする。
2. フライパンを中火で熱してオリーブ油を入れ、1を加えて炒める。火が通ったらほぐしたたらこを加えて、炒め合わせる。

エネルギー	食物繊維	コレステロール	脂質	塩分
38kcal	1.1g	35mg	2.3g	0.7g

副菜2

小松菜のザーサイ和え

材料（1人分）

小松菜	80g (2株)
ザーサイ(味付き)	5g
ラー油	少々

作り方 [調理時間 5分]

1. 小松菜は3cm長さに切る。ザーサイはせん切りにする。
2. 小松菜はラップで包み、電子レンジ(600W)で1分加熱し、ザーサイ、ラー油と和える。

エネルギー	食物繊維	コレステロール	脂質	塩分
18kcal	1.7g	0mg	0.6g	0.3g

主菜
牛肉のエリンギ巻き

材料（1人分）

牛もも薄切り肉	80g (3枚)
こしょう	少々
エリンギ	60g (大1本)
オリーブ油	小さじ1/2
しょうゆ	小さじ1 1/2
みりん	小さじ1/2

作り方 [調理時間 10分]

1. エリンギは太めのせん切りにする。
2. 牛肉を広げてこしょうをふり、1のエリンギを3等分して牛肉で巻く。
3. フライパンを中火で熱し、オリーブ油をひき、2の巻き終わりを下にし、ときどき転がしながら中火で焼く。だいたい火が通ったらふたをして弱火にし、3分くらい蒸し焼きにする。しょうゆとみりんを加え、汁けがなくなるまでからめ、切り分ける。

エネルギー	食物繊維	コレステロール	脂質	塩分
186kcal	2.0g	54mg	9.5g	1.4g

主食
ごはん （1人分） 180g

エネルギー	食物繊維	コレステロール	脂質	塩分
281kcal	2.7g	0mg	0.4g	0.0g

くだもの
オレンジ （1人分）　皮つきで100g (小1/2個)

エネルギー	食物繊維	コレステロール	脂質	塩分
25kcal	0.5g	0mg	0.1g	0.0g

時間がたつと鶏肉に味がなじんでさらにおいしく
鶏肉と切り干し大根の炒め煮弁当

エネルギー	食物繊維	コレステロール	脂質	塩分
549kcal	10.6g	72mg	6.5g	2.4g

- いちご
- レンジかぼちゃの七味チーズ和え
- 鶏肉と切り干し大根の炒め煮
- 焼きピーマンのお浸し
- ごはん

184

副菜1
焼きピーマンのお浸し

材料（1人分）

- ピーマン …………… 60g（2個）
- 削り節 ……………… 0.5g（⅛袋）
- しょうゆ …………… 小さじ⅔

作り方[調理時間10分]

1. ピーマンは丸のまま、魚焼きグリルで5～6分焼く。
2. ピーマンの種をとって縦に4等分に切り、しょうゆ、削り節と和える。

エネルギー	食物繊維	コレステロール	脂質	塩分
17kcal	1.4g	1mg	0.1g	0.6g

副菜2
レンジかぼちゃの七味チーズ和え

材料（1人分）

- かぼちゃ（種とワタをとったもの）…70g
- 七味唐辛子 ………………… 少々
- パルメザンチーズ ………… 小さじ½

作り方[調理時間5分]

1. かぼちゃはラップで包んで電子レンジ（600W）で1分30秒加熱し、食べやすい大きさに切る。
2. パルメザンチーズ、七味唐辛子と和える。

エネルギー	食物繊維	コレステロール	脂質	塩分
59kcal	2.5g	1mg	0.4g	0.0g

主菜
鶏肉と切り干し大根の炒め煮

材料（1人分）

- 鶏もも肉（皮なし） …… 80g
- 切り干し大根 ………… 10g
- にんじん ……………… 30g（3cm）
- ごま油 ………………… 小さじ½
- A
  - だし ………………… ⅓カップ
  - 酒 …………………… 小さじ2
  - 砂糖 ………………… 小さじ⅓
  - しょうゆ …………… 小さじ1⅔

作り方[調理時間15分（水でもどす時間除く）]

1. 鶏肉はひと口大に切る。切り干し大根はもみ洗いして水でもどす。にんじんは拍子木切りにする。
2. 鍋にごま油を入れて中火で熱し、にんじん、鶏肉、切り干し大根を炒める。油が回ったらAを加えてふたをする。沸騰したら弱火で10分くらい煮る。

エネルギー	食物繊維	コレステロール	脂質	塩分
169kcal	2.9g	70mg	5.5g	1.8g

主食
ごはん （1人分） 180g

エネルギー	食物繊維	コレステロール	脂質	塩分
281kcal	2.7g	0mg	0.4g	0.0g

くだもの
いちご （1人分） 75g（5粒）

エネルギー	食物繊維	コレステロール	脂質	塩分
23kcal	1.1g	0mg	0.1g	0.0g

豚ヒレとごぼうの中華炒め弁当

さまざまな食感が楽しめて満足度高し！

エネルギー	食物繊維	コレステロール	脂質	塩分
543kcal	7.8g	68mg	9.2g	2.1g

- キウイフルーツ
- チンゲン菜のごま油蒸し
- 豚ヒレとごぼうの中華炒め
- 大根の中華漬け
- ごはん

副菜1
チンゲン菜のごま油蒸し

材料（1人分）

チンゲン菜	50g	(½株弱)
パプリカ(赤)	20g	(⅑個)
ちりめんじゃこ	大さじ1	
ごま油	小さじ½	

作り方［調理時間 5 分］

1. チンゲン菜とパプリカは太めのせん切りにする。ちりめんじゃこは熱湯をかける。
2. 耐熱性の器に1とごま油を混ぜてふんわりとラップをし、電子レンジ(600W)で1分加熱する。

エネルギー	食物繊維	コレステロール	脂質	塩分
37kcal	0.9g	20mg	2.1g	0.4g

副菜2
大根の中華漬け

材料（1人分）

大根	30g	(0.8cm)
しょうが(薄切り)	1枚	
A 赤唐辛子(輪切り)	2つ	
粉山椒	少々	
塩	少々	(0.3g)
酢	小さじ1	

作り方［調理時間 15 分］

1. 大根はいちょう切りにする。しょうがはせん切りにする。
2. ビニール袋に1とAを入れて混ぜ、空気を抜くように口を閉じ、10分くらい漬けておく。

※前日の夜に作り、冷蔵庫で一晩置いても可。

エネルギー	食物繊維	コレステロール	脂質	塩分
8kcal	0.4g	0mg	0.0g	0.3g

主菜
豚ヒレとごぼうの中華炒め

材料（1人分）

豚ヒレ肉	80g	
A 塩	少々	(0.3g)
こしょう	少々	
片栗粉	小さじ½	
ごぼう	40g	(¼本)
長ねぎ	20g	(4cm)
ごま油	小さじ1	
B オイスターソース	小さじ¼	
しょうゆ	小さじ1	
砂糖	ひとつまみ	

作り方［調理時間 15 分］

1. 豚ヒレ肉は薄切りにし、Aをふる。ごぼうは縦半分に切って斜め薄切りにし、さっと水にさらして水けをきる。ねぎは斜め薄切りにする。
2. フライパンを中火で熱し、ごま油を入れて豚肉を両面とも焼いて火を通す。長ねぎ、ごぼうを加えてさらに炒め、Bを入れて炒め合わせる。

エネルギー	食物繊維	コレステロール	脂質	塩分
173kcal	2.8g	48mg	6.6g	1.4g

主食
ごはん （1人分）　180g

エネルギー	食物繊維	コレステロール	脂質	塩分
281kcal	2.7g	0mg	0.4g	0.0g

くだもの
キウイフルーツ （1人分）　70g (⁷⁄₁₀個)

エネルギー	食物繊維	コレステロール	脂質	塩分
44kcal	1.0g	0mg	0.1g	0.0g

しっとりとして食べやすいみそ漬けをメインに
さばのヨーグルトみそ漬け弁当

エネルギー	食物繊維	コレステロール	脂質	塩分
569kcal	6.7g	45mg	14.0g	2.3g

- ぶどう
- 水菜とアスパラのごま塩和え
- ごはん（青のりをふる）
- にんじんとコーン、油揚げの煮もの
- さばのヨーグルトみそ漬け

188

副菜1
にんじんとコーン、油揚げの煮もの

材料（1人分）

にんじん	50g	(大¼本)
コーン(冷凍)	20g	
油揚げ	10g	(⅓枚)
A だし	¼カップ	
酒	小さじ1	
砂糖	小さじ⅓	
しょうゆ	小さじ1	

作り方［調理時間 **15**分］

1. にんじんは食べやすい大きさに切り、油揚げは油抜きをして短冊切りにする。
2. 鍋にAと1、コーンを入れてふたをし、中火にかける。沸騰したら弱火にし、10分程度煮る。

エネルギー	食物繊維	コレステロール	脂質	塩分
86kcal	2.3g	0mg	3.4g	1.0g

副菜2
水菜とアスパラのごま塩和え

材料（1人分）

水菜	20g	(1株)
アスパラガス	30g	(2本)
白いりごま	小さじ¼	
塩	少々	(0.3g)

作り方［調理時間 **5**分］

1. 水菜は3㎝長さに切り、アスパラガスは斜め切りにする。
2. 水菜とアスパラガスはラップで包み、電子レンジ(600W)で1分加熱し、白ごまと塩を加えて和える。

エネルギー	食物繊維	コレステロール	脂質	塩分
15kcal	1.2g	0mg	0.5g	0.3g

主菜
さばのヨーグルトみそ漬け

材料（1人分）

さば	70g	
A ヨーグルト(無糖)	大さじ1	
みそ	小さじ1	
しょうが(すりおろし)	少々	

作り方［調理時間 **10**分 (漬ける時間除く)］

1. Aをよく混ぜ、切れ目を入れたさばにぬり、一晩漬けておく(冷蔵庫に入れておく)。
2. 魚焼きグリルで8～9分焼く。

エネルギー	食物繊維	コレステロール	脂質	塩分
167kcal	0.3g	45mg	9.7g	1.0g

主食
ごはん（青のりをふる）（1人分） 180g

エネルギー	食物繊維	コレステロール	脂質	塩分
281kcal	2.7g	0mg	0.4g	0.0g

くだもの
ぶどう（1人分） 40g

エネルギー	食物繊維	コレステロール	脂質	塩分
20kcal	0.2g	0mg	0.0g	0.0g

さけフレークの塩けを生かして減塩
サーモンオムレツ弁当

エネルギー	食物繊維	コレステロール	脂質	塩分
574kcal	10.6g	199mg	11.4g	2.3g

副菜 キャベツのカレーレンジ蒸し

材料（1人分）

キャベツ…60g（1枚）、しめじ…40g（¼袋強）、コンソメスープの素（固形）…⅛個、塩…少々（0.6g）、カレー粉…少々（0.2g）

作り方［調理時間5分］

1. キャベツはざく切りにし、しめじはほぐす。
2. 耐熱性の器に1とコンソメスープの素、塩、カレー粉を入れ混ぜ、ふんわりとラップをして電子レンジ（600W）で1分30秒加熱する。1分くらいそのまま蒸らして混ぜる。

エネルギー	食物繊維	コレステロール	脂質	塩分
23kcal	2.6g	0mg	0.2g	0.8g

主食 おにぎり（1人分）

ごはん…180g、焼きのり…0.8g（¼枚）

ごはんを半分に分けてにぎり、のりをつける。

エネルギー	食物繊維	コレステロール	脂質	塩分
283kcal	3.0g	0mg	0.4g	0.0g

くだもの りんご（1人分）　60g（⅙個）

主菜 サーモンオムレツ

材料（1人分）

さけフレーク…20g、玉ねぎ…20g（⅒個）、じゃがいも…50g（中½個）、ほうれん草…40g（2株）、オリーブ油…小さじ1½、卵…50g（1個）、塩…少々（0.8g）、こしょう…少々、ミニトマト…30g（2個）

作り方［調理時間20分］

1. じゃがいもはラップで包み、電子レンジで1分強加熱して1cmの角切りにする。玉ねぎはせん切り、ほうれん草は2cm長さに切る。
2. フライパンを中火で熱しオリーブ油小さじ1を入れて、玉ねぎをしんなりするまで炒める。さらにほうれん草を加えて炒め、さけフレーク、じゃがいもを加えてさっと炒める。
3. 卵を割り、塩、こしょう、2を入れて混ぜる。
4. 小さめのフライパンを中火で熱し、残りのオリーブ油を入れて3を流し入れる。半熟になるまで混ぜ、半分にたたんで両面焼く。ミニトマトを添える。

エネルギー	食物繊維	コレステロール	脂質	塩分
234kcal	6.3g	199mg	10.7g	1.5g

エネルギー	食物繊維	コレステロール	脂質	塩分
34kcal	1.1g	0mg	0.1g	0.0g

Part 6

簡単にできる低カロリースイーツ
おやつレシピ

手作りのおやつなら、脂質や糖質が少なく、
カロリーが低いものが簡単にできます。フルーツやヨーグルト、
牛乳を使った和洋中のおやつ16品を紹介します。

【INDEX】
● おやつを食べるときのポイント…p.192〜193

レアチーズケーキ（p.195）

ごま水ようかん（p.201）

かぼちゃプリン（p.199）

りんごの赤ワイン煮（p.197）

おやつを食べるときのポイント

おやつは原則として食べすぎなければOKです。ただし、エネルギー量と含まれている脂質の種類に注意します。また、食べる頻度も重要です。

1 1日のエネルギー量の範囲内なら食べてOK

疲れたときや小腹が空いたときなど、おやつを食べたい場合は、食事療法中であっても、1日の摂取エネルギー量の範囲内であれば食べてもかまいません。

右にあるように1日あたりの摂取エネルギー量が1800kcalであれば、おやつは100～200kcalが目安。食事を加減し、摂取エネルギー量を調整すればよいでしょう。だからといって、毎食後や毎日食べるのはNG。1週間で2～3回にとどめましょう。

▶1日に必要なエネルギー量が1800kcalの場合

おやつは摂取エネルギー量の範囲内で食べる。食事が軽めで、摂取エネルギーに余裕があるときなどにとるとよい。

Check!
夜のおやつはNG。活動量が多い日中に食べよう

おやつを食べる時間帯も重要。夜に糖質や脂質をとると肥満の原因になるため、夕食後のデザートや夜食に甘いものを食べるのはNG。食べた分のエネルギーを消費しやすいように、おやつは日中の活動時に食べるようにしましょう。

2 糖質控えめのくだものには脂質改善効果が!

おやつには、くだものを食べるのもおすすめ。以前は中性脂肪値が高い人にくだものの果糖はNGとされていましたが、近年の研究では、糖質の少ないいちごやキウイフルーツなどのくだものは、LDLコレステロールや中性脂肪を下げて、善玉のHDLコレステロールを増やすことがわかってきました。そのため、1日100～200gのくだものをとるとよいとされています。毎日適正な量をとりましょう。

▶脂質異常症改善におすすめのくだものと1日にとりたい目安量(100～200g相当)

いちご 中10粒

キウイフルーツ 2個

グレープフルーツ 2/3個

スウィーティー 2/3個

3 食物繊維が豊富な和菓子もよい

おやつの種類では、洋菓子より和菓子がよいでしょう。和菓子によく用いられるあずき、寒天、きな粉には食物繊維が多く、不足しがちな食物繊維を補うことができるからです。もちろん、砂糖が多いので食べすぎはNG。

お団子やもち菓子などはエネルギー量が高いので、食べる量や食べる回数に注意してとるようにします。

▶主な和菓子のエネルギーと脂質、食物繊維量

	もなか (1個40g)	きんつば (1個60g)	大福 (1個70g)	あん団子 (1本75g)	草もち (1個50g)
エネルギー	111kcal	156kcal	156kcal	149kcal	112kcal
脂質	0.1g	0.2g	0.2g	0.3g	0.2g
食物繊維	1.2g	3.3g	1.3g	0.9g	1.0g

（カッコ内の重量は目安量。数値は「日本食品標準成分表2020年版（八訂）」より）

4 動物性脂肪が多い洋菓子は、たまのごほうびに

ケーキやパイなどの洋菓子類は糖質だけでなく、バターやチーズ、生クリームといった動物性脂肪が多く含まれる材料で作られています。また、洋菓子によく使用されているショートニングにはトランス脂肪酸も多いため、たくさん食べるのは控えましょう。洋菓子はたまのごほうびにとどめます。その点、本書で紹介している低脂質のデザートなら安心して食べられます。

▶主な洋菓子のエネルギーと脂質量

	ショートケーキ (1個110g)	ベイクドチーズケーキ (1個80g)	シュークリーム (1個100g)
エネルギー	345kcal	239kcal	223kcal
脂質	14.7g	15.4g	10.4g

（カッコ内の重量は目安量。数値は「日本食品標準成分表2020年版（八訂）」より）

たまのお楽しみにする

低脂質の手作りに置き換える

レアチーズケーキ →p.195

食べるならブラックコーヒーと一緒に

コーヒーには、動脈硬化の予防に役立つ抗酸化物質のクロロゲン酸が含まれています。おやつにはぜひコーヒーを一緒に。なお、砂糖とミルクは控えてブラックで飲むとよいでしょう。

Check! ジュースなど果糖を含む加工食品はとりすぎないようにする

くだものや野菜のジュースは炭酸飲料などの清涼飲料水よりもヘルシーだと思いがちですが、パッケージの表示をよく確認して、果糖など糖分の含有量をチェックしたほうがよいでしょう。また意外にエネルギー量が高く、塩分も多いものがあるため、飲みすぎないようにします。

果肉たっぷりのぜいたくスイーツ
マンゴープリン

材料（4個分）

マンゴー	正味200g（大1個）
粉寒天	小さじ½
水	½カップ
自然派甘味料*	大さじ2½(30g)
牛乳	¼カップ
レモン汁	大さじ1

*ラカントなど

作り方 ［調理時間 15分（粗熱をとる時間、冷やし固める時間除く）］

1. マンゴーは、細かくつぶす。
2. 鍋に粉寒天と水を入れて混ぜ、中火にかける。沸騰後弱火で混ぜながら2分煮て、自然派甘味料を加えて煮溶かす。火を止め、粗熱をとる。
3. 1に牛乳、2を混ぜ、レモン汁を加え混ぜる。器に入れ、固まるまで冷やす。

エネルギー	食物繊維	コレステロール	脂質	塩分
43kcal	0.9g	2mg	0.5g	0.0g

（1人分あたり）

ゴロゴロ果肉がうれしい
グレープフルーツゼリー

材料（2人分）

グレープフルーツ	正味130g（1個）
粉ゼラチン	2.5g
水	大さじ1½
自然派甘味料*	大さじ1¼(15g)
レモン汁	小さじ1
ミントの葉	少々

*ラカントなど

作り方 ［調理時間 15分（粗熱をとる時間、冷やし固める時間除く）］

1. グレープフルーツは半分に切る。半分は実を取り出して大きめにほぐし、半分は果汁をしぼる。果汁は水（分量外）を加え、½カップになるようにする。
2. 粉ゼラチンは水に入れて混ぜ、もどしておく。
3. 鍋に1の汁と自然派甘味料を入れ、中火にかけて混ぜ溶かし、2を加えて溶かす。粗熱をとり、1のグレープフルーツの実、レモン汁を入れて混ぜ、容器に入れて固まるまで冷やす。スプーンで割りほぐし、器に盛り、ミントを飾る。

エネルギー	食物繊維	コレステロール	脂質	塩分
31kcal	0.4g	0mg	0.1g	0.0g

（1人分あたり）

おやつ

白ワインが香るリッチな味わい
パイナップルコンポート

材料（1人分）

パイナップル ………… 100g
水 ………………… 大さじ1
白ワイン …………… 大さじ2
自然派甘味料* …… 小さじ2 1/2（10g）
ミントの葉 ………… 葉4〜5枚
*ラカントなど

作り方［調理時間10分（冷やす時間除く）］

1 パイナップルはひと口大に切る。
2 耐熱性の器に、1、水、自然派甘味料、白ワインを入れて落としラップをし、電子レンジ（600W）で3分加熱する。粗く刻んだミントを加え、冷蔵室で1時間程度冷やす。

エネルギー	食物繊維	コレステロール	脂質	塩分
77kcal	1.2g	0mg	0.1g	0.0g

カッテージチーズでまろやかなおいしさ
レアチーズケーキ

材料（4人分）

カッテージチーズ（裏ごしタイプ）
　………………… 100g
ヨーグルト（無糖） …… 100g
自然派甘味料* …… 1/4カップ
粉ゼラチン ………… 4g
　水 ……………… 大さじ2
牛乳 ……………… 1/4カップ
レモン汁 ………… 小さじ1
バニラエッセンス …… 少々
ブルーベリー ……… 80g
　自然派甘味料* …… 小さじ4（16g）
*ラカントなど

作り方［調理時間20分（冷やし固める時間除く）］

1 粉ゼラチンは水に入れて混ぜ、もどす。
2 鍋に牛乳と自然派甘味料を入れて混ぜ、中火にかけて煮立つ直前まで温めて自然派甘味料を溶かし、1を加えてさらに溶かす。
3 ボウルにカッテージチーズとヨーグルトを入れて混ぜ、2を加えながら混ぜ合わせる。レモン汁、バニラエッセンスを加えて混ぜ合わせ、容器に入れ固まるまで冷やす。
4 ブルーベリーと自然派甘味料を耐熱性の器

に入れて混ぜ、ラップをして電子レンジ（600W）で2分加熱して冷ます。
5 3を器に盛り、4のソースをかける。

エネルギー	食物繊維	コレステロール	脂質	塩分
60kcal	0.7g	10mg	2.2g	0.3g

（1人分あたり）

たっぷりキウイで作るヘルシースイーツ
キウイシャーベット

材料（3人分）

キウイフルーツ	………	120g（大1個）
ヨーグルト（無糖）	………	½カップ
自然派甘味料*	………	大さじ1（12g）

*ラカントなど

作り方 ［調理時間 10分 （凍らせる時間除く）］

1. キウイは皮をむいて芯をとってすりおろす。
2. ヨーグルト、自然派甘味料と1を混ぜ合わせてバットに入れる。アルミホイルをかぶせて、ときどき混ぜながら凍らせる。

エネルギー	食物繊維	コレステロール	脂質	塩分
36kcal	0.9g	4mg	1.0g	0.0g

（1人分あたり）

中性脂肪を増やさないコツ
おやつを食べるならフルーツを使ったものを
食物繊維が多く、抗酸化作用が期待できるくだものを使ったスイーツを適量食べるのがよいでしょう。ただし食べすぎは中性脂肪を増やすので注意。

食物繊維豊富なキウイがぎっしり
キウイ寒天

材料（2人分）

粉寒天	………	小さじ½
水	………	¾カップ
自然派甘味料*	………	大さじ1⅔（20g）
キウイフルーツ	………	120g（大1個）
レモン汁	………	小さじ1½

*ラカントなど

作り方 ［調理時間 10分 （粗熱をとる時間、冷やし固める時間除く）］

1. キウイは皮をむいてざく切りにする。
2. 鍋に水と粉寒天を入れて混ぜ、中火にかける。沸騰したら弱火にし、混ぜながら2分煮る。自然派甘味料を入れて溶かし、粗熱をとる。
3. 2に1とレモン汁を入れて混ぜ、容器に入れて冷やし固める。

エネルギー	食物繊維	コレステロール	脂質	塩分
28kcal	1.7g	0mg	0.1g	0.0g

（1人分あたり）

おやつ

電子レンジでチンするだけでできる
りんごの赤ワイン煮

材料（2人分）

りんご ……………… 200g（1個）
A 赤ワイン ………… 大さじ2
　 自然派甘味料* …… 大さじ2½（30g）
　 水 ………………… 大さじ2
　 レモン（薄い輪切り）…… 1枚
　 シナモンスティック … 2cm

*ラカントなど

作り方 [調理時間 **10**分（冷やす時間除く）]

1. りんごは4等分に切って皮をむき、芯をとって横半分に切る。
2. 耐熱性の器にAを入れて混ぜ、1とレモンを入れて落としラップをし、電子レンジ（600W）で5分加熱する。そのまま冷やす。

エネルギー	食物繊維	コレステロール	脂質	塩分
57kcal	1.3g	0mg	0.0g	0.0g

（1人分あたり）

生クリームもバターも使わない
いちごのクラフティー

材料（1人分）

いちご ……………… 70g（小6粒）
牛乳 ………………… ¼カップ
自然派甘味料* ……… 小さじ2½（10g）
小麦粉 ……………… 大さじ½
卵 …………………… 25g（½個）
バニラエッセンス …… 少々

*ラカントなど

作り方 [調理時間 **30**分]

1. ボウルに卵、自然派甘味料、小麦粉を混ぜ、牛乳を加えて混ぜ合わせ、バニラエッセンスを加える。
2. 耐熱性の器にいちごを入れ、1を注ぐ。180度に予熱したオーブンで20分くらい焼く。

エネルギー	食物繊維	コレステロール	脂質	塩分
103kcal	1.1g	99mg	4.2g	0.2g

お好みのフルーツで楽しめる
フルーツくず流し

材料（1人分）

いちご	60g（3粒）
キウイフルーツ	30g（⅓個）
A くず粉	5g
水	½カップ
自然派甘味料*	小さじ2½（10g）

*ラカントなど

作り方［調理時間10分（粗熱をとる時間除く）］

1. いちごは半分に切り、キウイは乱切りにする。
2. 鍋にAを入れて混ぜ溶かし、中火にかける。さらに透明になり沸騰するまで混ぜる。粗熱をとり、1を混ぜる。

エネルギー	食物繊維	コレステロール	脂質	塩分
52kcal	1.6g	0mg	0.1g	0.0g

豆腐を使ったヘルシーだんご
豆腐白玉みたらしだれかけ

材料（1人分）

白玉粉	30g
絹ごし豆腐	30g（⅒丁）
A しょうゆ	小さじ⅓
だし	大さじ1
自然派甘味料*	小さじ2（8g）
片栗粉	小さじ¼
水	小さじ1
きな粉	少々

*ラカントなど

作り方［調理時間15分］

1. ボウルに白玉粉、豆腐を入れて混ぜ合わせる。なめらかになったら5等分に丸め、真ん中を少しくぼませる。
2. 沸騰した湯に1を入れる。浮いてきたら2〜3分ゆで、水にとり、水けをきる。
3. 鍋にAを入れ混ぜ、弱火で煮立てる。Bの水溶き片栗粉を入れて混ぜ、とろみをつけてひと煮立ちさせる。
4. 器に2を盛り、3をかけ、きな粉をふりかける。

エネルギー	食物繊維	コレステロール	脂質	塩分
128kcal	0.5g	0mg	1.3g	0.3g

おやつ

エネルギー	食物繊維	コレステロール	脂質	塩分
45kcal	0.1g	8mg	2.1g	0.2g

(1人分あたり)

卵黄不使用でさっぱりとした味わい
しょうがプリン

材料（2個分）

卵白	35g（1個分）
牛乳	120ml
自然派甘味料*	大さじ1 2/3（20g）
A しょうが汁	小さじ1
水	大さじ2
自然派甘味料*	小さじ2（8g）
しょうが（薄切り）	2枚

*ラカントなど

作り方 [調理時間 **15分**（粗熱をとる時間、冷やす時間除く）]

1. 卵白はよくほぐす。牛乳と自然派甘味料は鍋に入れて混ぜて温め、溶かす。粗熱をとり、卵白を混ぜ合わせて器に入れ、蒸気が上がった蒸し器に入れて強火で30秒、弱火にして10分蒸す。
2. しょうがの薄切り、Aを耐熱性の器に入れてラップせずに、電子レンジ（600W）で30秒加熱し、冷やす。
3. 1が蒸し上がったら冷やす。食べるときに2をかける。

スイーツでも食物繊維がとれる
かぼちゃプリン

材料（3個分）

かぼちゃ（種とワタをとったもの）	100g（1/12個）
牛乳	3/4カップ
自然派甘味料*	大さじ1 2/3（20g）
粉ゼラチン	3g
水	大さじ1
シナモンパウダー	少々

*ラカントなど

作り方 [調理時間 **15分**（冷やし固める時間除く）]

1. かぼちゃはラップで包んで電子レンジ（600W）で2分30秒加熱し、つぶす。
2. 粉ゼラチンは、水に入れて混ぜ、もどす。
3. 鍋に牛乳と自然派甘味料を入れて混ぜて中火にかける。煮立つ直前に火を止めて自然派甘味料を溶かし、2を加えて溶かす。1を加えて混ぜ合わせ、容器に入れて固まるまで冷やす。
4. 食べるときに、シナモンパウダーをふる。

エネルギー	食物繊維	コレステロール	脂質	塩分
62kcal	1.2g	6mg	1.9g	0.1g

(1人分あたり)

噛みごたえのあるおやつ
紅茶ビスコッティー

材料（20枚分）
おから	100g
薄力粉	100g
ベーキングパウダー	小さじ1
卵	50g（1個）
自然派甘味料*	大さじ4 1/6（50g）
茶葉（アールグレー）	8g
豆乳	大さじ1

＊ラカントなど

作り方［調理時間50分（冷ます時間除く）］

1. おからはから炒りし、冷ます。薄力粉、ベーキングパウダーと混ぜ合わせる。
2. ボウルに卵を割りほぐし、自然派甘味料を入れて混ぜる。茶葉、豆乳、1を加えて混ぜ合わせる。天板にオーブンペーパーをしき、ナマコ形に形を整えてのせる。
3. 170度に予熱をしたオーブンで20分焼き、粗熱をとって切り分ける。再度天板に並べ、150度に予熱したオーブンで10分焼き、ひっくり返しさらに10分焼いて冷ます。

エネルギー	食物繊維	コレステロール	脂質	塩分
81kcal	2.6g	28mg	1.5g	0.1g

（1人分3枚）

おからを使ったヘルシーなスイーツ
おから抹茶蒸しパン

材料（4個分）
おから	50g
薄力粉	50g
ベーキングパウダー	小さじ1
抹茶（粉末）	小さじ1
湯	大さじ1
卵	50g（1個）
自然派甘味料*	大さじ3 1/3（40g）
豆乳	大さじ2
サラダ油	小さじ1

＊ラカントなど

作り方［調理時間25分］

1. 抹茶は湯で溶き混ぜる。薄力粉とベーキングパウダーは混ぜてふるっておく。
2. ボウルに卵を割りほぐして自然派甘味料を混ぜる。豆乳、サラダ油、おから、抹茶を加えて混ぜ合わせる。1の粉を加えてさっくり混ぜ、耐熱性の器に入れる。蒸気の上がった蒸し器に入れ、12分蒸す。

エネルギー	食物繊維	コレステロール	脂質	塩分
87kcal	2.0g	46mg	2.9g	0.2g

（1人分あたり）

おやつ

たっぷりの黒ごまとあんこが合う
ごま水ようかん

材料（4人分）

粉寒天	小さじ2/3
水	1 1/4カップ
自然派甘味料*	大さじ4 1/6（50g）
こしあん	200g
黒すりごま	大さじ1

*ラカントなど

作り方 ［調理時間20分（冷ます時間、冷やし固める時間除く）］

1. 鍋に水と粉寒天を入れて混ぜ、中火にかける。沸騰したら弱火で混ぜながら2分煮る。自然派甘味料を加えて混ぜ溶かし、あんを入れて混ぜて煮立てる。
2. 粗熱をとり、ごまを入れて軽くとろみがつくまでときどき混ぜながら冷ます。容器に入れ、冷やし固める。

エネルギー	食物繊維	コレステロール	脂質	塩分
88kcal	4.0g	0mg	1.3g	0.0g

（1人分あたり）

ホクホクした食感の素朴な味わい
焼き大学いも

材料（1人分）

さつまいも	60g（中1/4本）
サラダ油	小さじ1/4
はちみつ	小さじ1/2
しょうゆ	小さじ1/4
黒いりごま	少々

作り方 ［調理時間15分（冷ます時間除く）］

1. さつまいもはラップで包んで電子レンジ（600W）で1分20秒加熱し、冷ましてから半月切りにする。
2. フライパンを中火で熱してサラダ油をひき、さつまいもの表面を焼く。はちみつ、しょうゆを混ぜ合わせてからめ、ごまをふる。

エネルギー	食物繊維	コレステロール	脂質	塩分
98kcal	1.7g	0mg	1.1g	0.3g

※p.207からご覧ください。　>>>　**食材別索引**

わかめとレタスの煮浸し ・・・・・・・・・・・ 137
サラダチキンサンド ・・・・・・・・・・・ 152
レタスとさくらえびのみそ汁 ・・・・・・・・ 158
レタスチャーハン ・・・・・・・・・・・・・ 165
バーベキューポークサンド ・・・・・・・・・ 170
チキン野菜サンド ・・・・・・・・・・・・・ 172
かぼちゃサンド ・・・・・・・・・・・・・・ 173

● **れんこん**
鶏もも肉と根菜の炒め煮 ・・・・・・・・・・・ 86
焼きれんこんの山椒塩かけ ・・・・・・・・・ 131
れんこんのごまみそきんぴら ・・・・・・・・ 131
ひじきとれんこんのサラダ ・・・・・・・・・ 138
トマトスープ ・・・・・・・・・・・・・・・ 155

きのこ

● **えのきたけ**
沢煮椀 ・・・・・・・・・・・・・・・・・・・ 32
チンジャオロースー ・・・・・・・・・・・・・ 77
えのき肉団子 甘酢あんかけ ・・・・・・・・・ 89
高野豆腐のあんかけ煮 ・・・・・・・・・・・ 100
レンジきのこだれ ・・・・・・・・・・・・・ 109
えのきときゅうりのからし酢和え ・・・・・・ 141
きのこのホイル焼き ・・・・・・・・・・・・ 144
炒りおから ・・・・・・・・・・・・・・・・ 148
えのきと豆苗のすまし汁 ・・・・・・・・・・ 155
牛丼 ・・・・・・・・・・・・・・・・・・・ 164
きのこと鶏肉の和風スパゲティ ・・・・・・・ 175

● **エリンギ**
さばの塩焼き 大根おろし、エリンギ炒め添え ・・・ 28
ビーフシチュー ・・・・・・・・・・・・・・・ 76
ホイコーロー ・・・・・・・・・・・・・・・・ 79
にんじんのソース炒め ・・・・・・・・・・・ 119
焼ききのこの梅わさび和え ・・・・・・・・・ 144
エリンギとパプリカのケチャップ炒め ・・・・ 145
ナポリタン ・・・・・・・・・・・・・・・・ 175
牛肉のエリンギ巻き ・・・・・・・・・・・・ 183

● **カットしめじ**
さけ水煮缶とカットしめじのチーズ蒸し ・・・ 150
さばトマトライス ・・・・・・・・・・・・・ 151
焼き鳥親子丼 ・・・・・・・・・・・・・・・ 154

● **きくらげ（生）**
大豆もやしのエスニックサラダ ・・・・・・・・ 38
きくらげとこんにゃくのおかかみそ炒め ・・・ 145

● **しいたけ**
きのこのおかか蒸し ・・・・・・・・・・・・・ 40
さんまの塩焼き きのこおろし ・・・・・・・・ 62
さけの梅みそホイル焼き ・・・・・・・・・・・ 65
焼きがんも ・・・・・・・・・・・・・・・・・ 94
油揚げの肉詰め焼き ・・・・・・・・・・・・ 103
レンジきのこだれ ・・・・・・・・・・・・・ 109
しいたけのみそチーズ焼き ・・・・・・・・・ 141
きのこのホイル焼き ・・・・・・・・・・・・ 144
焼ききのこの梅わさび和え ・・・・・・・・・ 144
もやしとしいたけの中華スープ ・・・・・・・ 156
レタスチャーハン ・・・・・・・・・・・・・ 165

フォー風そうめん ・・・・・・・・・・・・・ 178

● **しめじ**
きのこのおかか蒸し ・・・・・・・・・・・・・ 40
豆腐ハンバーグ ・・・・・・・・・・・・・・・ 44
さばのホイル焼き ・・・・・・・・・・・・・・ 57
さけのゆずこしょうみりん漬け ・・・・・・・・ 65
しめじのガーリックパン粉焼き ・・・・・・・ 142
しめじと三つ葉のマヨしょうゆ和え ・・・・・ 142
きのこサラダ ・・・・・・・・・・・・・・・ 142
きのこのバルサミコ酢炒め ・・・・・・・・・ 144
きのこと鶏肉の和風スパゲティ ・・・・・・・ 175
マカロニグラタン ・・・・・・・・・・・・・ 176
キャベツのカレーレンジ蒸し ・・・・・・・・ 190

● **なめこ**
なめことほうれん草の煮浸し ・・・・・・・・ 145

● **なめたけ**
春菊のおろしなめたけかけ ・・・・・・・・・ 115

● **まいたけ**
麻婆豆腐 ・・・・・・・・・・・・・・・・・・ 42
まいたけと小松菜のごましょうゆ炒め ・・・・ 143
まいたけのだし漬け ・・・・・・・・・・・・ 143
まいたけのミルクスープ ・・・・・・・・・・ 143
きのこのバルサミコ酢炒め ・・・・・・・・・ 144
なす入りミートソーススパゲティ ・・・・・・ 174

● **マッシュルーム**
マッシュルームオムレツ ・・・・・・・・・・ 105
炒り卵のせオムライス ・・・・・・・・・・・ 168

くだもの

● **いちご**
いちごのクラフティー ・・・・・・・・・・・ 197
フルーツくず流し ・・・・・・・・・・・・・ 198

● **オレンジ**
にんじんとオレンジのサラダ ・・・・・・・・ 118
えびチーズサンド ・・・・・・・・・・・・・ 171

● **キウイフルーツ**
キウイシャーベット ・・・・・・・・・・・・ 196
キウイ寒天 ・・・・・・・・・・・・・・・・ 196
フルーツくず流し ・・・・・・・・・・・・・ 198

● **グレープフルーツ**
グレープフルーツゼリー ・・・・・・・・・・ 194

● **パイナップル**
パイナップルコンポート ・・・・・・・・・・ 195

● **ブルーベリー**
レアチーズケーキ ・・・・・・・・・・・・・ 195

● **マンゴー**
マンゴープリン ・・・・・・・・・・・・・・ 194

● **りんご**
りんごの赤ワイン煮 ・・・・・・・・・・・・ 197

その他

● **梅干し**
さばの梅照り焼き ・・・・・・・・・・・・・・ 58
さけの梅みそホイル焼き ・・・・・・・・・・・ 65

梅だしドレッシング ・・・・・・・・・・・・ 109
焼ききのこの梅わさび和え ・・・・・・・・・ 144
大豆の梅おろし和え ・・・・・・・・・・・・ 147

● **カッテージチーズ（裏ごしタイプ）**
ブロッコリーの洋風白和え ・・・・・・・・・ 123
えびチーズサンド ・・・・・・・・・・・・・ 171
レアチーズケーキ ・・・・・・・・・・・・・ 195

● **牛乳**
スクランブルエッグ ・・・・・・・・・・・・・ 50
えびとアスパラガスのクリーム煮 ・・・・・・・ 75
鶏むね肉と大根のフリカッセ ・・・・・・・・・ 80
まいたけのミルクスープ ・・・・・・・・・・ 143
コーンスープ ・・・・・・・・・・・・・・・ 155
炒り卵のせオムライス ・・・・・・・・・・・ 168
フレンチトースト ・・・・・・・・・・・・・ 173
マカロニグラタン ・・・・・・・・・・・・・ 176
マンゴープリン ・・・・・・・・・・・・・・ 194
レアチーズケーキ ・・・・・・・・・・・・・ 195
いちごのクラフティー ・・・・・・・・・・・ 197
しょうがプリン ・・・・・・・・・・・・・・ 199
かぼちゃプリン ・・・・・・・・・・・・・・ 199

● **さけるチーズ**
かぼちゃサンド ・・・・・・・・・・・・・・ 173

● **パルメザンチーズ**
いわしのトマトチーズ焼き ・・・・・・・・・・ 71
肉詰めピーマン ・・・・・・・・・・・・・・・ 88
おから団子と野菜のトマト煮 ・・・・・・・・・ 92
巣ごもり卵焼き ・・・・・・・・・・・・・・ 107
バジルソース ・・・・・・・・・・・・・・・ 110
アスパラのチーズ炒め ・・・・・・・・・・・ 117
しいたけのみそチーズ焼き ・・・・・・・・・ 141
きのこサラダ ・・・・・・・・・・・・・・・ 142
大豆入りミネストローネ ・・・・・・・・・・ 147
アボカドトマトリゾット ・・・・・・・・・・ 169
ねぎしらすトースト ・・・・・・・・・・・・ 171
なす入りミートソーススパゲティ ・・・・・・ 174
マカロニグラタン ・・・・・・・・・・・・・ 176
レンジかぼちゃの七味チーズ和え ・・・・・・ 184

● **ピザ用チーズ**
ピザトースト ・・・・・・・・・・・・・・・・ 48
トマトソースグラタン ・・・・・・・・・・・・ 96
さけ水煮缶とカットしめじのチーズ蒸し ・・・ 150

● **麩**
麩とみょうがのみそ汁 ・・・・・・・・・・・ 158

● **ヨーグルト（無糖）**
きゅうりとセロリのヨーグルトサラダ ・・・・・ 44
タンドリーチキンサラダ ・・・・・・・・・・・ 82
カレーヨーグルトだれ ・・・・・・・・・・・ 108
かぼちゃとみょうがのサラダ ・・・・・・・・ 127
ポテトサラダ ・・・・・・・・・・・・・・・ 134
スープカレー ・・・・・・・・・・・・・・・ 167
さばのヨーグルトみそ漬け ・・・・・・・・・ 188
レアチーズケーキ ・・・・・・・・・・・・・ 195
キウイシャーベット ・・・・・・・・・・・・ 196

202

食材別索引 ※p.207からご覧ください。

■野菜 の続き

ひじきとピーマンのナムル ・・・・・・・・・・・ 138
炒りおから ・・・・・・・・・・・・・・・・・・・・・・ 148
ほうれん草とねぎのすまし汁 ・・・・・・・・ 155
きゅうりとザーサイの中華スープ ・・・・・・ 157
刻みねぎと貝割れのみそ汁 ・・・・・・・・・・ 158
牛丼 ・・・・・・・・・・・・・・・・・・・・・・・・・・・ 164
鶏肉とかぶの中華がゆ ・・・・・・・・・・・・ 165
中華丼 ・・・・・・・・・・・・・・・・・・・・・・・・ 166
ねぎしらすトースト ・・・・・・・・・・・・・・・ 171
きのこと鶏肉の和風スパゲティ ・・・・・・ 175
豚ヒレとごぼうの中華炒め ・・・・・・・・・ 186

●なす
なすとみょうがの卵とじ煮 ・・・・・・・・・・ 104
ラタトゥイユ ・・・・・・・・・・・・・・・・・・・・ 125
スープカレー ・・・・・・・・・・・・・・・・・・・ 167
なす入りミートソーススパゲティ ・・・・・・ 174

●にら
焼きぎょうざ ・・・・・・・・・・・・・・・・・・・・ 38
麻婆豆腐 ・・・・・・・・・・・・・・・・・・・・・・ 42
キャベツと豚肉の塩鍋 ・・・・・・・・・・・・・ 79
にらともやしの卵納豆炒め ・・・・・・・・・・ 93
豆腐チゲ ・・・・・・・・・・・・・・・・・・・・・・・ 99
大豆とにらのナムル ・・・・・・・・・・・・・・ 147
さばとにらの七味しょうゆ煮 ・・・・・・・・ 151
キャベツとにらのごまみそ汁 ・・・・・・・・ 156
塩焼きそば ・・・・・・・・・・・・・・・・・・・・・ 179

●にんじん
ひじきの煮もの ・・・・・・・・・・・・・・・・・・ 24
きんぴらごぼう ・・・・・・・・・・・・・・・・・・ 26
肉野菜炒め ・・・・・・・・・・・・・・・・・・・・ 40
にんじんとレタスのナムル ・・・・・・・・・・ 42
かきたま野菜スープ ・・・・・・・・・・・・・・ 48
ビーフシチュー ・・・・・・・・・・・・・・・・・・ 76
ホイコーロー ・・・・・・・・・・・・・・・・・・・・ 79
鶏もも肉と根菜の炒め煮 ・・・・・・・・・・ 86
ミートボールポトフ ・・・・・・・・・・・・・・・ 87
豆とえびの豆乳シチュー ・・・・・・・・・・・ 90
豆腐とにんじんのじゃこ炒め ・・・・・・・・ 98
にんじんの卵炒め ・・・・・・・・・・・・・・・ 106
にんじんとオレンジのサラダ ・・・・・・・・ 118
にんじんのしょうがごま和え ・・・・・・・・ 118
にんじんの山椒きんぴら ・・・・・・・・・・・ 119
にんじんのソース炒め ・・・・・・・・・・・・ 119
にんじんとツナのふりかけ ・・・・・・・・・ 119
ポテトサラダ ・・・・・・・・・・・・・・・・・・・ 134
ひじきとにんじんの山椒煮 ・・・・・・・・・ 139
大豆入りミネストローネ ・・・・・・・・・・・ 147
炒りおから ・・・・・・・・・・・・・・・・・・・・ 148
にんじんの白和え ・・・・・・・・・・・・・・・ 149
ビビンバ ・・・・・・・・・・・・・・・・・・・・・・ 166
チキン野菜サンド ・・・・・・・・・・・・・・・ 172
塩焼きそば ・・・・・・・・・・・・・・・・・・・・ 179
鶏肉と切り干し大根の炒め煮 ・・・・・・ 184
にんじんとコーン、油揚げの煮もの ・・・ 188

●にんにくの芽
豆腐のオイスターソース煮 ・・・・・・・・・・ 94

●白菜
肉団子と白菜の春雨煮 ・・・・・・・・・・・ 89
豆腐チゲ ・・・・・・・・・・・・・・・・・・・・・・ 99
牛丼 ・・・・・・・・・・・・・・・・・・・・・・・・・ 164

●パプリカ（黄・赤）
豆腐ハンバーグ ・・・・・・・・・・・・・・・・・ 44
あじの酢じょうゆ煮 ・・・・・・・・・・・・・・・ 66
チンジャオロースー ・・・・・・・・・・・・・・ 77
鶏むね肉のレモンあんかけ炒め ・・・・・・ 81
大豆のトマト煮 ・・・・・・・・・・・・・・・・・ 91
おから団子と野菜のトマト煮 ・・・・・・・・ 92
ラタトゥイユ ・・・・・・・・・・・・・・・・・・・・ 125
パプリカの甘酢炒め ・・・・・・・・・・・・・ 125
しらたきとパプリカのしょうが酢和え ・・・ 135
エリンギとパプリカのケチャップ炒め ・・・ 145
スープカレー ・・・・・・・・・・・・・・・・・・・ 167
炒り卵のせオムライス ・・・・・・・・・・・・ 168
チンゲン菜のごま油蒸し ・・・・・・・・・・ 187

●春雨
肉団子と白菜の春雨煮 ・・・・・・・・・・・ 89

●ピーマン
ぶりの鍋照り焼き ・・・・・・・・・・・・・・・ 32
ピザトースト ・・・・・・・・・・・・・・・・・・・・ 48
さばのトマトしょうゆ煮 ・・・・・・・・・・・・ 56
かじきの韓国風焼き ・・・・・・・・・・・・・ 59
チンジャオロースー ・・・・・・・・・・・・・・ 77
肉詰めピーマン ・・・・・・・・・・・・・・・・・ 88
サルサソース ・・・・・・・・・・・・・・・・・・ 110
ピーマンと油揚げの煮もの ・・・・・・・・・ 124
ピーマンとしらすのにんにく炒め ・・・・・ 124
ひじきとピーマンのナムル ・・・・・・・・・ 138
ナポリタン ・・・・・・・・・・・・・・・・・・・・・ 175
焼きピーマンのお浸し ・・・・・・・・・・・・ 184

●ブロッコリー
しょうが焼き たっぷり野菜サラダ添え ・・ 26
ブロッコリーの白和え ・・・・・・・・・・・・・ 32
ブロッコリーの煮浸し ・・・・・・・・・・・・・ 44
さばの梅照り焼き ・・・・・・・・・・・・・・・ 58
鶏むね肉と大根のフリカッセ ・・・・・・・・ 80
ブロッコリーのしそしょうゆ和え ・・・・・・ 122
ブロッコリーのえび炒め ・・・・・・・・・・・ 122
ブロッコリーと玉ねぎのサラダ ・・・・・・・ 123
ブロッコリーの洋風白和え ・・・・・・・・・ 123
豆腐とブロッコリーのうすくず汁 ・・・・・・ 149
コーンスープ ・・・・・・・・・・・・・・・・・・・ 155
カレーうどん ・・・・・・・・・・・・・・・・・・・ 177

●ブロッコリースプラウト
ミニトマトとスプラウトのコンソメスープ ・・ 156
チキン野菜サンド ・・・・・・・・・・・・・・・ 172

●ホールコーン
サラダ菜とコーンのカレーコンソメ ・・・・ 157

●ほうれん草
ほうれん草の煮浸し ・・・・・・・・・・・・・・ 28
かきたま野菜スープ ・・・・・・・・・・・・・・ 48
あぶ玉煮 ・・・・・・・・・・・・・・・・・・・・・ 102
ほうれん草とコーンのごまみそ和え ・・・ 116

ほうれん草とアボカドの粒マスタード和え ・・・ 116
なめことほうれん草の煮浸し ・・・・・・・・ 145
ほうれん草とねぎのすまし汁 ・・・・・・・・ 155
マカロニグラタン ・・・・・・・・・・・・・・・・ 176
サーモンオムレツ ・・・・・・・・・・・・・・・ 190

●水菜
沢煮椀 ・・・・・・・・・・・・・・・・・・・・・・・ 32
鶏もも肉の塩焼き 薬味だれがけ ・・・・ 84
まぐろ納豆 ・・・・・・・・・・・・・・・・・・・・ 93
水菜とのりのナムル ・・・・・・・・・・・・・ 115
糸寒天と水菜の納豆和え ・・・・・・・・・ 139
納豆サラダ ・・・・・・・・・・・・・・・・・・・・ 146
サラダチキンと水菜のぽん酢和え ・・・・ 152
カットわかめと水菜のみそ汁 ・・・・・・・・ 158
鉄火丼 ・・・・・・・・・・・・・・・・・・・・・・・ 169
きのこと鶏肉の和風スパゲティ ・・・・・・ 175
ごまだれ和えそば ・・・・・・・・・・・・・・・ 177
水菜とアスパラのごま塩和え ・・・・・・・ 189

●ミックスリーフ
きのこサラダ ・・・・・・・・・・・・・・・・・・・ 142
ツナ缶とミックスリーフのライスサラダ ・・ 150

●三つ葉
炒り豆腐 ・・・・・・・・・・・・・・・・・・・・・・ 46
わかめと三つ葉のおかか炒め ・・・・・・・ 137
しめじと三つ葉のマヨしょうゆ和え ・・・・ 142

●ミニトマト
しょうが焼き たっぷり野菜サラダ添え ・・ 26
スナップえんどうとミニトマトのごまみそ和え ・・ 34
あじのアクアパッツァ ・・・・・・・・・・・・・ 67
いわしのトマトチーズ焼き ・・・・・・・・・・ 71
よだれ鶏風サラダ ・・・・・・・・・・・・・・・ 83
ミニトマトのごま和え ・・・・・・・・・・・・・ 120
ミニトマトのおだし煮 ・・・・・・・・・・・・・ 121
ミニトマトとスプラウトのコンソメスープ ・・ 156

●みょうが
鶏もも肉の塩焼き 薬味だれがけ ・・・・ 84
なすとみょうがの卵とじ煮 ・・・・・・・・・・ 104
トマトのしょうゆ炒め ・・・・・・・・・・・・・ 121
かぼちゃとみょうがのサラダ ・・・・・・・・ 127
麩とみょうがのみそ汁 ・・・・・・・・・・・・ 158
ごまだれ和えそば ・・・・・・・・・・・・・・・ 177

●紫玉ねぎ
エスニックローストチキン ・・・・・・・・・・ 85

●野菜炒めミックス
野菜炒めミックスとひき肉の豆板醤炒め ・・ 153
野菜炒めミックスのナンプラー蒸し ・・・・ 153
野菜炒めミックスとツナ缶の鍋 ・・・・・・ 153
野菜炒めミックスとさば缶のおかずみそ汁 ・・ 153

●ルッコラ
えびチーズサンド ・・・・・・・・・・・・・・・ 171

●レタス
大豆もやしのエスニックサラダ ・・・・・・・ 38
にんじんとレタスのナムル ・・・・・・・・・・ 42
レタスとトマトのみそ汁 ・・・・・・・・・・・・ 46
タンドリーチキンサラダ ・・・・・・・・・・・・ 82
エスニックローストチキン ・・・・・・・・・・ 85

※p.207からご覧ください。　>>> 食材別索引

●しらたき
しらたきとパプリカのしょうが酢和え … 135
ひじきとしらたきの煮もの … 138
●ズッキーニ
かじきとズッキーニのガーリック炒め … 59
●スナップえんどう
スナップえんどうとミニトマトのごまみそ和え … 34
スナップえんどうのからしマヨ和え … 126
●スライス玉ねぎミックスサラダ
さけ缶とスライス玉ねぎのオーロラソースかけ … 150
●セロリ
きゅうりとセロリのヨーグルトサラダ … 44
キャベツとセロリのベーコン蒸し … 50
えびとセロリのチリソース炒め … 74
よだれ鶏風サラダ … 83
大豆のトマト煮 … 91
おから団子と野菜のトマト煮 … 92
なす入りミートソーススパゲティ … 174
わかめとセロリのたらこ炒め … 183
●せん切りキャベツ
サラダチキンのレモンサラダ … 152
せん切りキャベツとハムのマスタード蒸し … 154
せん切りキャベツのおかかしょうゆ和え … 154
●大根
さばの塩焼き 大根おろし、エリンギ炒め添え … 28
ぶりの鍋照り焼き … 32
あじの塩焼き … 34
ぶりのおろし煮 … 61
さんまの塩焼き きのこおろし … 62
鶏むね肉と大根のフリカッセ … 80
ミートボールポトフ … 87
青のり入りだし巻き卵 … 107
春菊のおろしなめたけかけ … 115
トマトのおろし和え … 120
わかめとねぎのおろし和え … 137
納豆サラダ … 146
おろし納豆 … 146
大豆の梅おろし和え … 147
大根の中華漬け … 186
●大豆もやし
大豆もやしのエスニックサラダ … 38
肉野菜炒め … 40
にらともやしの卵納豆炒め … 93
豆腐チャンプルー … 97
もやしと卵の甘酢あんかけ … 105
大豆もやしの青のり炒め … 129
大豆もやしのザーサイ和え … 129
サラダチキンと大豆もやしのごま油蒸し … 152
もやしとしいたけの中華スープ … 156
ビビンバ … 166
フォー風そうめん … 178
塩焼きそば … 179
●たけのこ（ゆで）
厚揚げとさやえんどうの玉とじ煮 … 101
●玉ねぎ
豆腐ハンバーグ … 44

ピザトースト … 48
かきたま野菜スープ … 48
さばのトマトしょうゆ煮 … 56
さばのホイル焼き … 57
あじのさしみラビゴットソース … 66
さわらのソテー フレッシュトマトソースがけ … 69
いわしとじゃがいものカレースープ煮 … 72
えびとアスパラガスのクリーム煮 … 75
ビーフシチュー … 76
牛肉とアスパラのこしょう炒め … 77
鶏むね肉と大根のフリカッセ … 80
タンドリーチキンサラダ … 82
ミートボールポトフ … 87
肉詰めピーマン … 88
えのき肉団子 甘酢あんかけ … 89
豆とえびの豆乳シチュー … 90
大豆のトマト煮 … 91
おから団子と野菜のトマト煮 … 92
トマトソースグラタン … 96
マッシュルームオムレツ … 105
おろし玉ねぎドレッシング … 109
サルサソース … 110
トマトのケチャップレモンサラダ … 121
ブロッコリーと玉ねぎのサラダ … 123
ラタトゥイユ … 125
スライス玉ねぎとオクラのぽん酢かけ … 130
玉ねぎの照り焼き … 130
まいたけのミルクスープ … 143
大豆入りミネストローネ … 147
レタスチャーハン … 165
スープカレー … 167
炒り卵のせオムライス … 168
アボカドトマトリゾット … 169
バーベキューポークサンド … 170
かぼちゃサンド … 173
なす入りミートソーススパゲティ … 174
ナポリタン … 175
マカロニグラタン … 176
カレーうどん … 177
サーモンオムレツ … 190
●チンゲン菜
肉野菜炒め … 40
チンゲン菜としらすの煮浸し … 42
ほたてとチンゲン菜のあんかけ炒め … 73
チンゲン菜とちくわのピリ辛煮 … 115
中華丼 … 166
チンゲン菜のごま油蒸し … 187
●豆苗
鶏肉のザーサイしょうゆ蒸し … 81
がんもと豆苗のおかか煮 … 102
巣ごもり卵焼き … 107
えのきと豆苗のすまし汁 … 155
●トマト
トマトともずくのしょうが酢和え … 36
レタスとトマトのみそ汁 … 46
スクランブルエッグ … 50

さばのトマトしょうゆ煮 … 56
あじのさしみラビゴットソース … 66
さわらのソテー フレッシュトマトソースがけ … 69
ほたてとカリフラワーのトマト煮 … 73
豚ヒレソテー ハニーマスタードソース … 78
タンドリーチキンサラダ … 82
イタリアンソース … 110
トマトのおろし和え … 120
トマトのしょうゆ炒め … 121
トマトのケチャップレモンサラダ … 121
大豆入りミネストローネ … 147
アボカドトマトリゾット … 169
バーベキューポークサンド … 170
トマトそうめん … 178
●トマトジュース
トマトスープ … 155
ナポリタン … 175
●トマト水煮缶
ビーフシチュー … 76
大豆のトマト煮 … 91
おから団子と野菜のトマト煮 … 92
トマトソースグラタン … 96
サルサソース … 110
ラタトゥイユ … 125
さばトマトライス … 151
スープカレー … 167
なす入りミートソーススパゲティ … 174
●長いも
あじの塩焼き … 34
とろろ昆布とたたき長いものすまし汁 … 157
●長ねぎ
沢煮椀 … 32
焼きぎょうざ … 38
肉野菜炒め … 40
さばのねぎみそ煮 … 57
焼きさば、長ねぎのゆずこしょう南蛮漬け … 58
かじきの韓国風焼き … 59
さんまのねぎ中華蒸し … 63
かつおの中華風さしみ … 64
さけの梅みそホイル焼き … 65
えびとセロリのチリソース炒め … 74
チンジャオロースー … 77
ホイコーロー … 79
鶏肉のザーサイしょうゆ蒸し … 81
よだれ鶏風サラダ … 83
鶏もも肉の焼き鳥風炒め … 84
肉団子と白菜の春雨煮 … 89
大豆と豚肉のピリ辛炒め … 91
焼きがんも … 94
豆腐のオイスターソース煮 … 94
豆腐チゲ … 99
ねぎおかかだれ … 109
中華ドレッシング … 109
いんげんのザーサイ炒め … 126
里いものねぎ塩煮 … 132
わかめと焼きねぎの七味みそ和え … 136
→p.203に続く

204

>>> **食材別索引** ※p.207からご覧ください。

卵 の続き

紅茶ビスコッティー ···················· 200
おから抹茶蒸しパン ················· 200

野菜・野菜加工品

●アスパラガス
キャベツとアスパラのゆずこしょう炒め ·· 34
えびとアスパラガスのクリーム煮 ······· 75
牛肉とアスパラのこしょう炒め ········· 77
アスパラのチーズ炒め ··············· 117
アスパラとわかめのからしみそ和え ····· 117
水菜とアスパラのごま塩和え ········· 189

●アボカド
ほうれん草とアボカドの粒マスタード和え ··· 116
アボカドやっこ ····················· 149
アボカドトマトリゾット ·············· 169

●いんげん
ひじきの煮もの ······················ 24
豆とえびの豆乳シチュー ··············· 90
いんげんのザーサイ炒め ············· 126

●オクラ
豚肉のオクラ巻き ···················· 78
スライス玉ねぎとオクラのぽん酢かけ ··· 130
オクラとのりのすまし汁 ············· 157
トマトそうめん ····················· 178

●貝割れ菜
もずくと貝割れの酢のもの ··········· 140
アボカドやっこ ····················· 149
さば缶の貝割れ和え ················· 151
サラダチキンサンド ················· 152
刻みねぎと貝割れのみそ汁 ··········· 158

●カットキャベツ
焼き鳥親子丼 ······················· 154

●カット香菜
さば缶と香菜のエスニック和え ······· 151

●かぶ（葉を含む）
かぶとあさりの煮もの ················ 36
鶏肉とかぶの中華がゆ ··············· 165

●かぼちゃ
鶏のから揚げ ······················· 36
かぼちゃとみょうがのサラダ ········· 127
かぼちゃのカレーレモン煮 ··········· 127
かぼちゃサンド ····················· 173
レンジかぼちゃの七味チーズ和え ····· 184
かぼちゃプリン ····················· 199

●カリフラワー
ほたてとカリフラワーのトマト煮 ······· 73

●キムチ
豆腐チゲ ··························· 99

●キャベツ
しょうが焼き たっぷり野菜サラダ添え ·· 26
キャベツとアスパラのゆずこしょう炒め ·· 34
焼きぎょうざ ······················· 38
キャベツとセロリのベーコン蒸し ······ 50
えびとキャベツのしそマヨ炒め ········ 74
キャベツと豚肉の塩鍋 ················ 79

ホイコーロー ······················· 79
ミートボールポトフ ·················· 87
大豆入りミネストローネ ············· 147
キャベツとにらのごまみそ汁 ········· 156
キャベツのカレーレンジ蒸し ········· 190

●きゅうり
もずく酢 ··························· 28
きゅうりのレモンしょうゆ漬け ········ 40
きゅうりとセロリのヨーグルトサラダ ··· 44
あじのさしみラビゴットソース ········ 66
鶏むね肉のレモンあんかけ炒め ········ 81
よだれ鶏風サラダ ···················· 83
ポテトサラダ ······················ 134
糸寒天ときゅうりの中華和え ········· 139
えのきときゅうりのからし酢和え ····· 141
焼き油揚げときゅうりの酢のもの ····· 148
きゅうりとザーサイの中華スープ ····· 157
ビビンバ ··························· 166
鉄火丼 ····························· 169
トマトそうめん ····················· 178

●切り干し大根
切り昆布と切り干し大根のハリハリ漬け ·· 140
小松菜と切り干し大根のみそ汁 ······· 156
鶏肉と切り干し大根の炒め煮 ········· 184

●クリームコーン缶
コーンスープ ······················ 155

●クレソン
トマトスープ ······················ 155

●小ねぎ
小ねぎ入り納豆 ····················· 24
ぶりとねぎの酢みそかけ ·············· 60
豆腐とたいのわかめ蒸し ·············· 97
わかめとねぎのおろし和え ··········· 137
焼き鳥缶のねぎ和え ················· 154
ごまだれ和えそば ··················· 177

●ごぼう
きんぴらごぼう ····················· 26
さんまとごぼうの有馬煮 ·············· 62
鶏もも肉と根菜の炒め煮 ·············· 86
ごぼうの土佐煮 ····················· 128
たたきごぼうの南蛮漬け ············· 128
こんにゃくとごぼうのみそ煮 ········· 135
豚ヒレとごぼうの中華炒め ··········· 186

●小松菜
卵スープ ··························· 38
小松菜のレンジ蒸し ·················· 46
さわらの煮つけ ····················· 69
厚揚げと小松菜のえびみそ炒め ······· 101
小松菜のしょうが浸し ··············· 114
小松菜のにんにく炒め ··············· 114
まいたけと小松菜のごましょうゆ炒め ··· 143
小松菜と切り干し大根のみそ汁 ······· 156
小松菜のザーサイ和え ··············· 182

●ゴーヤー
豆腐チャンプルー ···················· 97

●こんにゃく
ひじきの煮もの ····················· 24
こんにゃくとごぼうのみそ煮 ········· 135
きくらげとこんにゃくのおかかみそ炒め ··· 145

●コーン（冷凍）
ブロッコリーの煮浸し ················ 44
ほうれん草とコーンのごまみそ和え ···· 116
にんじんとコーン、油揚げの煮もの ···· 188

●ザーサイ
鶏肉のザーサイしょうゆ蒸し ·········· 81
いんげんのザーサイ炒め ············· 126
大豆もやしのザーサイ和え ··········· 129
きゅうりとザーサイの中華スープ ····· 157
鶏肉とかぶの中華がゆ ··············· 165
小松菜のザーサイ和え ··············· 182

●さつまいも
さつまいものはちみつレモン煮 ······· 133
さつまいものバターしょうゆ煮 ······· 133
焼き大学いも ······················ 201

●里いも
里いものとも和え ··················· 132
里いものねぎ塩煮 ··················· 132

●さやえんどう
厚揚げとさやえんどうの玉とじ煮 ····· 101

●サラダ菜
サラダ菜とコーンのカレーコンソメ ···· 157

●ししとう
鶏もも肉の焼き鳥風炒め ·············· 84
まいたけのだし漬け ················· 143

●しそ
えびとキャベツのしそマヨ炒め ········ 74
ささみのたらこしそ蒸し ·············· 83
ブロッコリーのしそしょうゆ和え ····· 122
ひじきとれんこんのサラダ ··········· 138
大根の梅おろし和え ················· 147
鉄火丼 ····························· 169
トマトそうめん ····················· 178

●じゃがいも
かきたま野菜スープ ·················· 48
あじとじゃがいものハーブ焼き ········ 68
いわしとじゃがいものカレースープ煮 ··· 72
ビーフシチュー ····················· 76
せん切りじゃがいもの酢炒め ········· 134
ポテトサラダ ······················ 134
サーモンオムレツ ··················· 190

●香菜（パクチー）
よだれ鶏風サラダ ···················· 83
エスニックローストチキン ············ 85
わかめと香菜のエスニックサラダ ····· 136
フォー風そうめん ··················· 178

●春菊
かつおの中華風さしみ ················ 64
豆腐と春菊のあんかけ煮 ·············· 95
油揚げの肉詰め焼き ················· 103
春菊のおろしなめたけかけ ··········· 115

※p.207からご覧ください。 >>> 食材別索引

●豚もも肉
しょうが焼き たっぷり野菜サラダ添え ‥‥ 26
●豚もも薄切り肉（赤身）
沢煮椀 ‥‥‥‥‥‥‥‥‥‥‥‥‥‥‥‥ 32
肉野菜炒め ‥‥‥‥‥‥‥‥‥‥‥‥‥ 40
豚肉のオクラ巻き ‥‥‥‥‥‥‥‥‥‥ 78
ホイコーロー ‥‥‥‥‥‥‥‥‥‥‥‥ 79
大豆と豚肉のピリ辛炒め ‥‥‥‥‥‥‥ 91
中華丼 ‥‥‥‥‥‥‥‥‥‥‥‥‥‥ 166
バーベキューポークサンド ‥‥‥‥‥ 170
カレーうどん ‥‥‥‥‥‥‥‥‥‥‥ 177
塩焼きそば ‥‥‥‥‥‥‥‥‥‥‥‥ 179
●豚ももしゃぶしゃぶ用肉（赤身）
キャベツと豚肉の塩鍋 ‥‥‥‥‥‥‥ 79
ごまだれ和えそば ‥‥‥‥‥‥‥‥‥ 177

鶏肉
●鶏ささみ
ささみのたらこしそ蒸し ‥‥‥‥‥‥ 83
トマトそうめん ‥‥‥‥‥‥‥‥‥‥ 178
●鶏むね肉（皮なし）
鶏むね肉と大根のフリカッセ ‥‥‥‥ 80
鶏肉のザーサイしょうゆ蒸し ‥‥‥‥ 81
鶏むね肉のレモンあんかけ炒め ‥‥‥ 81
タンドリーチキンサラダ ‥‥‥‥‥‥ 82
よだれ鶏風サラダ ‥‥‥‥‥‥‥‥‥ 83
炒り卵のせオムライス ‥‥‥‥‥‥‥ 168
アボカドトマトリゾット ‥‥‥‥‥‥ 169
チキン野菜サンド ‥‥‥‥‥‥‥‥‥ 172
きのこと鶏肉の和風スパゲティ ‥‥‥ 175
マカロニグラタン ‥‥‥‥‥‥‥‥‥ 176
フォー風そうめん ‥‥‥‥‥‥‥‥‥ 178
●鶏もも肉（皮なし）
鶏のから揚げ ‥‥‥‥‥‥‥‥‥‥‥ 36
鶏もも肉の塩焼き 薬味だれかけ ‥‥‥ 84
鶏もも肉の焼き鳥風炒め ‥‥‥‥‥‥ 84
エスニックローストチキン ‥‥‥‥‥ 85
鶏もも肉と根菜の炒め煮 ‥‥‥‥‥‥ 86
鶏肉とかぶの中華がゆ ‥‥‥‥‥‥‥ 165
スープカレー ‥‥‥‥‥‥‥‥‥‥‥ 167
鶏肉と切り干し大根の炒め煮 ‥‥‥‥ 184

ひき肉
●合いびき肉（赤身）
豆腐ハンバーグ ‥‥‥‥‥‥‥‥‥‥ 44
ミートボールポトフ ‥‥‥‥‥‥‥‥ 87
肉詰めピーマン ‥‥‥‥‥‥‥‥‥‥ 88
なす入りミートソーススパゲティ ‥‥ 174
●牛ひき肉（赤身）
大豆のトマト煮 ‥‥‥‥‥‥‥‥‥‥ 91
●鶏ひき肉（皮なし）
焼きがんも ‥‥‥‥‥‥‥‥‥‥‥‥ 94
豆腐と春菊のあんかけ煮 ‥‥‥‥‥‥ 95
●豚ひき肉（赤身）
焼きぎょうざ ‥‥‥‥‥‥‥‥‥‥‥ 38
麻婆豆腐 ‥‥‥‥‥‥‥‥‥‥‥‥‥ 42

えのき肉団子 甘酢あんかけ ‥‥‥‥‥ 89
肉団子と白菜の春雨煮 ‥‥‥‥‥‥‥ 89
油揚げの肉詰め焼き ‥‥‥‥‥‥‥‥ 103
野菜炒めミックスとひき肉の豆板醤炒め‥153

肉加工品
●サラダチキン
サラダチキンのレモンサラダ ‥‥‥‥ 152
サラダチキンと大豆もやしのごま油蒸し‥152
サラダチキンサンド ‥‥‥‥‥‥‥‥ 152
サラダチキンと水菜のぽん酢和え ‥‥ 152
●ベーコン
キャベツとセロリのベーコン蒸し ‥‥ 50
おから団子と野菜のトマト煮 ‥‥‥‥ 92
大豆入りミネストローネ ‥‥‥‥‥‥ 147
●ボンレスハム
せん切りキャベツとハムのマスタード蒸し‥154
●焼き鳥缶
焼き鳥親子丼 ‥‥‥‥‥‥‥‥‥‥‥ 154
焼き鳥缶のねぎ和え ‥‥‥‥‥‥‥‥ 154

大豆製品
●厚揚げ
厚揚げとさやえんどうの玉とじ煮 ‥‥ 101
厚揚げと小松菜のえびみそ炒め ‥‥‥ 101
●油揚げ
ほうれん草の煮浸し ‥‥‥‥‥‥‥‥ 28
あぶ玉煮 ‥‥‥‥‥‥‥‥‥‥‥‥‥ 102
油揚げの肉詰め焼き ‥‥‥‥‥‥‥‥ 103
お揚げしょうがしょうゆだれ ‥‥‥‥ 108
ピーマンと油揚げの煮もの ‥‥‥‥‥ 124
切り昆布と油揚げの煮もの ‥‥‥‥‥ 140
焼き油揚げときゅうりの酢のもの ‥‥ 148
にんじんとコーン、油揚げの煮もの ‥‥ 188
●いんげん豆
豆とえびの豆乳シチュー ‥‥‥‥‥‥ 90
●枝豆
焼き枝豆 ‥‥‥‥‥‥‥‥‥‥‥‥‥ 148
●おから
おから団子と野菜のトマト煮 ‥‥‥‥ 92
炒りおから ‥‥‥‥‥‥‥‥‥‥‥‥ 148
紅茶ビスコッティー ‥‥‥‥‥‥‥‥ 200
おから抹茶蒸しパン ‥‥‥‥‥‥‥‥ 200
●ガルバンゾー
キャベツとセロリのベーコン蒸し ‥‥ 50
●がんもどき
がんもと豆苗のおかか煮 ‥‥‥‥‥‥ 102
●絹ごし豆腐
豆腐のオイスターソース煮 ‥‥‥‥‥ 94
豆腐と春菊のあんかけ煮 ‥‥‥‥‥‥ 95
豆腐チゲ ‥‥‥‥‥‥‥‥‥‥‥‥‥ 99
にんじんの白和え ‥‥‥‥‥‥‥‥‥ 149
豆腐とブロッコリーのうすくず汁 ‥‥ 149
豆腐白玉 みたらしだれかけ ‥‥‥‥‥ 198

●高野豆腐
高野豆腐のあんかけ煮 ‥‥‥‥‥‥‥ 100
●大豆（缶）
大豆と豚肉のピリ辛炒め ‥‥‥‥‥‥ 91
大豆のトマト煮 ‥‥‥‥‥‥‥‥‥‥ 91
大豆とにらのナムル ‥‥‥‥‥‥‥‥ 147
大豆入りミネストローネ ‥‥‥‥‥‥ 147
大豆の梅おろし和え ‥‥‥‥‥‥‥‥ 147
●豆乳
豆とえびの豆乳シチュー ‥‥‥‥‥‥ 90
豆腐のゆずみそ煮 ‥‥‥‥‥‥‥‥‥ 98
ごまだれ和えそば ‥‥‥‥‥‥‥‥‥ 177
紅茶ビスコッティー ‥‥‥‥‥‥‥‥ 200
おから抹茶蒸しパン ‥‥‥‥‥‥‥‥ 200
●納豆
小ねぎ入り納豆 ‥‥‥‥‥‥‥‥‥‥ 24
まぐろ納豆 ‥‥‥‥‥‥‥‥‥‥‥‥ 93
にらともやしの卵納豆炒め ‥‥‥‥‥ 93
糸寒天と水菜の納豆和え ‥‥‥‥‥‥ 139
納豆サラダ ‥‥‥‥‥‥‥‥‥‥‥‥ 146
おろし納豆 ‥‥‥‥‥‥‥‥‥‥‥‥ 146
●木綿豆腐
ブロッコリーの白和え ‥‥‥‥‥‥‥ 32
麻婆豆腐 ‥‥‥‥‥‥‥‥‥‥‥‥‥ 42
豆腐ハンバーグ ‥‥‥‥‥‥‥‥‥‥ 44
炒り豆腐 ‥‥‥‥‥‥‥‥‥‥‥‥‥ 46
焼きがんも ‥‥‥‥‥‥‥‥‥‥‥‥ 94
トマトソースグラタン ‥‥‥‥‥‥‥ 96
豆腐チャンプルー ‥‥‥‥‥‥‥‥‥ 97
豆腐とたいのわかめ蒸し ‥‥‥‥‥‥ 97
豆腐とにんじんのじゃこ炒め ‥‥‥‥ 98
豆腐のゆずみそ煮 ‥‥‥‥‥‥‥‥‥ 98
アボカドやっこ ‥‥‥‥‥‥‥‥‥‥ 149

卵
卵スープ ‥‥‥‥‥‥‥‥‥‥‥‥‥ 38
炒り豆腐 ‥‥‥‥‥‥‥‥‥‥‥‥‥ 46
かきたま野菜スープ ‥‥‥‥‥‥‥‥ 48
スクランブルエッグ ‥‥‥‥‥‥‥‥ 50
おから団子と野菜のトマト煮 ‥‥‥‥ 92
にらともやしの卵納豆炒め ‥‥‥‥‥ 93
厚揚げとさやえんどうの玉とじ煮 ‥‥ 101
あぶ玉煮 ‥‥‥‥‥‥‥‥‥‥‥‥‥ 102
なすとみょうがの卵とじ煮 ‥‥‥‥‥ 104
マッシュルームオムレツ ‥‥‥‥‥‥ 105
もやしと卵の甘酢あんかけ ‥‥‥‥‥ 105
にんじんの卵炒め ‥‥‥‥‥‥‥‥‥ 106
巣ごもり卵焼き ‥‥‥‥‥‥‥‥‥‥ 107
青のり入りだし巻き卵 ‥‥‥‥‥‥‥ 107
焼き鳥親子丼 ‥‥‥‥‥‥‥‥‥‥‥ 154
レタスチャーハン ‥‥‥‥‥‥‥‥‥ 165
炒り卵のせオムライス ‥‥‥‥‥‥‥ 168
フレンチトースト ‥‥‥‥‥‥‥‥‥ 173
サーモンオムレツ ‥‥‥‥‥‥‥‥‥ 190
いちごのクラフティー ‥‥‥‥‥‥‥ 197
→p.205に続く

206

食材別索引

おもに使われている材料別にレシピを探せる索引です。家にある食材から献立を考えるときなどに活用してください。食材名は魚介、肉などのカテゴリごとに、五十音順に並べています。

魚介・魚介加工品

魚

●あじ
あじの塩焼き ・・・・・・・・・・・・・ 34
あじのさしみラビゴットソース ・・・・・・ 66
あじの酢じょうゆ煮 ・・・・・・・・・ 66
あじのアクアパッツァ ・・・・・・・・ 67
あじとじゃがいものハーブ焼き ・・・・・ 68

●いわし
いわしのごまかば焼き ・・・・・・・・ 70
いわしのしょうが酢煮 ・・・・・・・・ 70
いわしのトマトチーズ焼き ・・・・・・ 71
いわしとじゃがいものカレースープ煮 ・・・ 72

●かつお
かつおの中華風さしみ ・・・・・・・・ 64

●さけ（生）
さけのゆずこしょうみりん漬け ・・・・・ 65
さけの梅みそホイル焼き ・・・・・・・ 65

●さば
さばの塩焼き 大根おろし、エリンギ炒め添え ・・・ 28
さばのトマトしょうゆ煮 ・・・・・・・ 56
さばのホイル焼き ・・・・・・・・・・ 57
さばのねぎみそ煮 ・・・・・・・・・・ 57
焼きさば、長ねぎのゆずこしょう南蛮漬け ・・・ 58
さばの梅照り焼き ・・・・・・・・・・ 58
さばのヨーグルトみそ漬け ・・・・・・ 188

●さわら
さわらの煮つけ ・・・・・・・・・・・ 69
さわらのソテー フレッシュトマトソースがけ ・・・ 69

●さんま
さんまの塩焼き きのこおろし ・・・・・ 62
さんまとごぼうの有馬煮 ・・・・・・・ 62
さんまのねぎ中華蒸し ・・・・・・・・ 63

●たい
豆腐とたいのわかめ蒸し ・・・・・・・ 97

●ぶり
ぶりの鍋照り焼き ・・・・・・・・・・ 32
ぶりとねぎの酢みそかけ ・・・・・・・ 60
ぶりのおろし煮 ・・・・・・・・・・・ 61

●まぐろ（赤身）
まぐろ納豆 ・・・・・・・・・・・・・ 93
鉄火丼 ・・・・・・・・・・・・・・・ 169

●めかじき
かじきとズッキーニのガーリック炒め ・・・ 59
かじきの韓国風焼き ・・・・・・・・・ 59

えび・いか・たこ・貝

●あさり
あじのアクアパッツァ ・・・・・・・・ 67
豆腐チゲ ・・・・・・・・・・・・・・ 99

●えび
えびとキャベツのしそマヨ炒め ・・・・・ 74
えびとセロリのチリソース炒め ・・・・・ 74
えびとアスパラガスのクリーム煮 ・・・・ 75
豆とえびの豆乳シチュー ・・・・・・・ 90

高野豆腐のあんかけ煮 ・・・・・・・・ 100
レタスチャーハン ・・・・・・・・・・ 165
えびチーズサンド ・・・・・・・・・・ 171
ナポリタン ・・・・・・・・・・・・・ 175

●ほたて貝柱
ほたてとチンゲン菜のあんかけ炒め ・・・ 73
ほたてとカリフラワーのトマト煮 ・・・・ 73

海藻

●青のり
青のり入りだし巻き卵 ・・・・・・・・ 107
大豆もやしの青のり炒め ・・・・・・・ 129

●糸寒天
糸寒天ときゅうりの中華和え ・・・・・ 139
糸寒天と水菜の納豆和え ・・・・・・・ 139

●切り昆布
切り昆布と切り干し大根のハリハリ漬け ・・ 140
切り昆布と油揚げの煮もの ・・・・・・ 140

●とろろ昆布
とろろ昆布とたたき長いものすまし汁 ・・・ 157

●のり
水菜とのりのナムル ・・・・・・・・・ 115
里いものとも和え ・・・・・・・・・・ 132
オクラとのりのすまし汁 ・・・・・・・ 157

●ひじき
ひじきの煮もの ・・・・・・・・・・・ 25
ブロッコリーの白和え ・・・・・・・・ 32
ひじきとピーマンのナムル ・・・・・・ 138
ひじきとれんこんのサラダ ・・・・・・ 138
ひじきとしらたきの煮もの ・・・・・・ 138
ひじきとにんじんの山椒煮 ・・・・・・ 139
にんじんの白和え ・・・・・・・・・・ 149

●もずく
もずく酢 ・・・・・・・・・・・・・・ 28
トマトともずくのしょうが酢和え ・・・・ 36
もずくと貝割れの酢のもの ・・・・・・ 140

●わかめ（塩蔵）
卵スープ ・・・・・・・・・・・・・・ 38
炒り豆腐 ・・・・・・・・・・・・・・ 46
ぶりのおろし煮 ・・・・・・・・・・・ 61
豆腐とたいのわかめ蒸し ・・・・・・・ 97
アスパラとわかめのからしみそ和え ・・・ 117
わかめと焼きねぎの七味みそ和え ・・・・ 136
わかめと香菜のエスニックサラダ ・・・・ 136
わかめとねぎのおろし和え ・・・・・・ 137
わかめとレタスの煮浸し ・・・・・・・ 137
わかめと三つ葉のおかか炒め ・・・・・ 137
わかめとセロリのたらこ炒め ・・・・・ 182

●わかめ（カット）
カットわかめと水菜のみそ汁 ・・・・・ 158

魚介加工品・缶詰

●あさり缶
かぶとあさりの煮もの ・・・・・・・・ 36

●さくらえび
大豆もやしのエスニックサラダ ・・・・・ 38

炒り豆腐 ・・・・・・・・・・・・・・ 46
厚揚げと小松菜のえびみそ炒め ・・・・・ 101
ブロッコリーのえび炒め ・・・・・・・ 122
レタスとさくらえびのみそ汁 ・・・・・ 158

●さけ水煮缶
さけ水煮缶とカットしめじのチーズ蒸し ・・ 150
さけ水煮缶とスライス玉ねぎのオーロラソースかけ ・・・ 150

●さけフレーク
サーモンオムレツ ・・・・・・・・・・ 190

●さば水煮缶
さばとにらの七味しょうゆ煮 ・・・・・ 151
さば缶と香菜のエスニック和え ・・・・・ 151
さばトマトライス ・・・・・・・・・・ 151
さば缶の貝割れ和え ・・・・・・・・・ 151
野菜炒めミックスとさば缶のおかずみそ汁 ・・・ 153

●しらす
チンゲン菜としらすの煮浸し ・・・・・ 42
ピーマンとしらすのにんにく炒め ・・・・ 124
おろし納豆 ・・・・・・・・・・・・・ 146
ねぎしらすトースト ・・・・・・・・・ 171

●たらこ
ささみのたらこしそ蒸し ・・・・・・・ 83
わかめとセロリのたらこ炒め ・・・・・ 183

●ちくわ
チンゲン菜とちくわのピリ辛煮 ・・・・・ 115

●ちりめんじゃこ
豆腐とにんじんのじゃこ炒め ・・・・・ 98
いんげんのザーサイ炒め ・・・・・・・ 126
チンゲン菜のごま油蒸し ・・・・・・・ 187

●ツナ水煮缶
ピザトースト ・・・・・・・・・・・・ 48
トマトソースグラタン ・・・・・・・・ 96
豆腐チャンプルー ・・・・・・・・・・ 97
にんじんの卵炒め ・・・・・・・・・・ 106
にんじんとツナのふりかけ ・・・・・・ 119
ツナ缶とミックスリーフのライスサラダ ・・ 150
野菜炒めミックスとツナ缶の鍋 ・・・・・ 153

肉・肉加工品

牛肉

●牛もも薄切り肉（赤身）
ビーフシチュー ・・・・・・・・・・・ 76
牛肉とアスパラのこしょう炒め ・・・・・ 77
豆腐のオイスターソース煮 ・・・・・・ 94
牛丼 ・・・・・・・・・・・・・・・・ 164
ビビンバ ・・・・・・・・・・・・・・ 166
牛肉のエリンギ巻き ・・・・・・・・・ 182

●牛もも焼肉用肉（赤身）
チンジャオロースー ・・・・・・・・・ 77

豚肉

●豚ヒレ肉
豚ヒレソテー ハニーマスタードソース ・・・ 78
豚ヒレとごぼうの中華炒め ・・・・・・ 186

監修

千葉大学大学院医学研究院教授・
千葉大学医学部附属病院病院長
横手幸太郎

千葉大学医学部附属病院臨床栄養部
副部長兼栄養管理室長
野本尚子

料理・レシピ制作
岩﨑啓子

管理栄養士、料理研究家。
料理研究家のアシスタントや保健所での栄養指導などを経て独立。簡単に作れておいしく、からだにやさしい家庭料理を提案している。書籍、雑誌、メニュー開発など多方面で活躍。『一生スタスタ歩きたいなら、たんぱく質をとりなさい』(Gakken)、『100歳まで元気！おいしく健康300レシピ』(主婦の友社)、『親に届ける宅配ごはん』(女子栄養大学出版部)など、著書多数。

Staff
料理アシスタント	上田浩子、近藤浩美、平澤由美
撮影	田中宏幸
スタイリング	深川あさり
装丁・本文デザイン	周玉慧
イラスト	小野寺美恵
校正	麦秋アートセンター、遠藤三葉
撮影協力	UTUWA
編集協力	オフィス201、重信真奈美

最新改訂版
千葉大学医学部附属病院が教える
毎日おいしいコレステロール・中性脂肪対策レシピ320

2022年12月27日　　第1刷発行
2024年12月20日　　第4刷発行

発行人　　川畑　勝
編集人　　滝口勝弘
発行所　　株式会社Gakken
　　　　　〒141-8416　東京都品川区西五反田2-11-8
印刷所　　大日本印刷株式会社
DTP製作　株式会社グレン

●この本に関する各種お問い合わせ先
本の内容については、下記サイトのお問い合わせフォームよりお願いします。
　https://www.corp-gakken.co.jp/contact/
在庫については　Tel 03-6431-1250（販売部）
不良品(落丁、乱丁)については　Tel 0570-000577
　学研業務センター　〒354-0045　埼玉県入間郡三芳町上富279-1
上記以外のお問い合わせは　Tel 0570-056-710(学研グループ総合案内)

©Gakken

本書の無断転載、複製、複写(コピー)、翻訳を禁じます。
本書を代行業者等の第三者に依頼してスキャンやデジタル化することは、
たとえ個人や家庭内の利用であっても、著作権法上、認められておりません。

複写(コピー)をご希望の場合は、下記までご連絡ください。
日本複製権センター　https://jrrc.or.jp/
E-mail：jrrc_info@jrrc.or.jp
Ⓡ＜日本複製権センター委託出版物＞

学研グループの書籍・雑誌についての新刊情報・詳細情報は、下記をご覧ください。
学研出版サイト　https://hon.gakken.jp/